Hauptmann | vor Sonnenaufgang

Gerhart Hauptmann

Vor Sonnenaufgang

Soziales Drama

Herausgegeben von Peter Langemeyer

Reclam

RECLAMS UNIVERSAL-BIBLIOTHEK Nr. 19017
2017, 2021 Philipp Reclam jun. GmbH & Co. KG,
Siemensstraße 32, 71254 Ditzingen
Durchgesehene Ausgabe
Gestaltung: Cornelia Feyll, Friedrich Forssman
Druck und Bindung: EsserDruck Solutions GmbH,
Untere Sonnenstraße 5, 84030 Ergolding
Printed in Germany 2022
RECLAM, UNIVERSAL-BIBLIOTHEK und
RECLAMS UNIVERSAL-BIBLIOTHEK sind eingetragene Marken
der Philipp Reclam jun. GmbH & Co. KG, Stuttgart
ISBN 978-3-15-019017-3

Auch als E-Book erhältlich

www.reclam.de

Vor Sonnenaufgang.

Soziales Drama.

Bjarne P. Holmsen, dem consequentesten Realisten, Verfasser von »Papa Hamlet« zugeeignet, in freudiger Anerkennung der durch sein Buch empfangenen, entscheidenden Anregung.

Erkner, den 8. Juli 1889.

Gerhart Hauptmann.

Handelnde Menschen.

KRAUSE, Bauerngutsbesitzer.
FRAU KRAUSE, seine zweite Frau.
HELENE,
MARTHA, } Krause's Töchter erster Ehe.
HOFFMANN, Ingenieur, verheirathet mit Martha.
WILHELM KAHL, Neffe der Frau Krause.
FRAU SPILLER, Gesellschafterin bei Frau Krause.
ALFRED LOTH.
DR. SCHIMMELPFENNIG.
BEIBST, Arbeitsmann auf Krause's Gut.
GUSTE,
LIESE, } Mägde auf Krause's Gut.
MARIE,
BAER, genannt Hopslabaer.
EDUARD, Hoffmann's Diener.
MIELE, Hausmädchen bei Frau Krause.
DIE KUTSCHENFRAU.
GOLISCH, genannt Gosch, Kuhjunge.

Erster Akt.

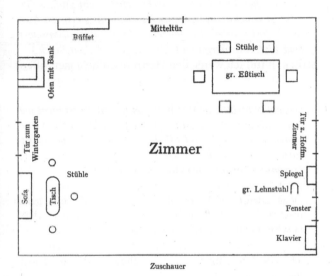

Das Zimmer ist niedrig; der Fußboden mit guten Teppichen belegt. Moderner Luxus auf bäuerische Dürftigkeit gepfropft. An der Wand hinter dem Eßtisch ein Gemälde, darstellend einen vierspännigen Frachtwagen von einem Fuhrknecht in blauer Blouse geleitet.

(Miele, eine robuste Bauernmagd mit rothem, etwas stumpfsinnigen Gesicht; sie öffnet die Mittelthür und läßt Alfred Loth eintreten. Loth ist mittelgroß, breitschultrig, untersetzt, in seinen Bewegungen bestimmt, doch ein we-

nig ungelenk; er hat blondes Haar, blaue Augen und ein
dünnes, lichtblondes Schnurrbärtchen, sein ganzes Ge-
sicht ist knochig und hat einen gleichmäßig ernsten Aus-
druck. Er ist ordentlich, jedoch nichts weniger als modern
gekleidet. Sommerpaletot, Umhängetäschchen, Stock.)

MIELE. Bitte! Ich werde den Herrn Inschinnär glei ruffen.
Wolln Sie nich Platz nehmen?! *(Die Glasthür zum Win-*
tergarten wird heftig aufgestoßen; ein Bauernweib, im
Gesicht blauroth vor Wuth, stürzt herein, sie ist nicht viel
besser als eine Waschfrau gekleidet. Nackte, rothe Arme,
blauer Kattunrock und Mieder, rothes punktirtes Brust-
tuch. Alter: Anfang 40, Gesicht hart, sinnlich, bösartig.
Die ganze Gestalt sonst gut conservirt.)

FRAU KRAUSE *(schreit)*. Ihr Madel!! . . . Richtig! . . .
Doas Loster vu Froovulk! . . . Naus!!! mir gahn
nischt! . . . *(halb zu Miele, halb zu Loth:)* a koan orbei-
ta, a hoot Oarme. Naus! hier gibbt's nischt!

LOTH. Aber Frau . . . Sie werden doch . . . ich . . .
ich heiße Loth, bin . . . wünsche zu . . . habe auch
nicht die Ab . . . .

MIELE. A wull ock a Herr Inschinnär sprechen.

FRAU KRAUSE. Beim Schwiegersuhne batteln: doas kenn'
mer schunn. – A hoot au nischt, a hoot's au ock vu ins,
nischt iis seine! *(Die Thür rechts wird aufgemacht. Hoff-*
mann steckt den Kopf heraus.)

HOFFMANN. Schwiegermama! – Ich muß doch bitten . . . *(er tritt heraus, wendet sich an Loth)* Was
steht zu . . . Alfred!!! Kerl!!! Wahrhaftig 'n Gott
Du!? Das ist aber 'mal . . . nein das is doch 'mal
'n Gedanke!

(Hoffmann ist etwa dreiunddreißig Jahre alt, schlank,

groß, hager. Er kleidet sich nach der neuesten Mode, ist
elegant frisirt, trägt kostbare Ringe, Brillantknöpfe im
Vorhemd und Berloques an der Uhrkette. Kopfhaar und
Schnurrbart schwarz, der letztere sehr üppig, äußerst
5 *sorgfältig gepflegt. Gesicht spitz, vogelartig. Ausdruck*
verschwommen, Augen schwarz, lebhaft zuweilen un-
ruhig.)

LOTH. Ich bin nämlich ganz zufällig . . . .

HOFFMANN *(aufgeregt).* Etwas Lieberes . . . nun aber
10 zunächst leg ab! *(Er versucht ihm das Umhängetäschchen*
abzunehmen.) Etwas Lieberes und so Unerwartetes hätte mir jetzt *(er hat ihm Hut und Stock abgenommen und*
legt Beides auf einen Stuhl neben der Thür) hätte mir jetzt
entschieden nicht passiren können, *(indem er zurück-*
15 *kommt:)* ent . . . . schieden nicht.

LOTH *(sich selbst das Täschchen abnehmend).* Ich bin nämlich – nur so per Zufall auf Dich *(er legt das Täschchen auf*
den Tisch im Vordergrund).

HOFFMANN. Setz' Dich! Du mußt müde sein, setz' Dich –
20 bitte. Weißt De noch? wenn Du mich besuchtest, da
hatt'st Du so 'ne Manier, Dich lang auf das Sopha hinfallen zu lassen, daß die Federn krachten; mitunter spran-
gen sie nämlich auch. Also Du, höre! mach's wie damals.
(Frau Krause hat ein sehr erstauntes Gesicht gemacht und
25 *sich dann zurückgezogen. Loth läßt sich auf einen der Ses-*
sel nieder, welche rings um den Tisch im Vordergrunde
stehen.)

HOFFMANN. Trinkst Du was? Sag'! – Bier? Wein? Cognac? Kaffee, Thee? Es ist Alles im Hause.
30 *(Helene kommt lesend aus dem Wintergarten; ihre große,*
ein wenig zu starke Gestalt, die Frisur ihres blonden, ganz

ungewöhnlich reichen Haares, ihr Gesichtsausdruck, ihre moderne Kleidung, ihre Bewegungen, ihre ganze Erscheinung überhaupt verleugnen das Bauernmädchen nicht ganz.)

HELENE. Schwager, Du könntest . . . *(sie entdeckt Loth und zieht sich schnell zurück).* Ach! ich bitte um Verzeihung *(ab).*

HOFFMANN. Bleib' doch, bleib'!

LOTH. Deine Frau?

HOFFMANN. Nein, ihre Schwester. Hörtest Du nicht, wie sie mich betitelte?

LOTH. Nein.

HOFFMANN. Hübsch! Wie? – Nu aber erklär' Dich! Kaffee? Thee? Grog?

LOTH. Danke, danke für Alles.

HOFFMANN *(präsentirt ihm Cigarren).* Aber d a s ist was für Dich – nicht?! . . . auch nicht?!

LOTH. Nein, danke.

HOFFMANN. Beneidenswerthe Bedürfnißlosigkeit! *(Er raucht sich selbst eine Cigarre an und spricht dabei.)* Die A . . Asche, wollte sagen der . . . der Tabak . . . ä! Rauch natürlich . . . der Rauch belästigt Dich doch wohl nicht?

LOTH. Nein.

HOFFMANN. Wenn ich d a s nicht noch hätte . . . ach Gott ja, das bischen Leben! – nu aber thu' mir den Gefallen, erzähle was. – Zehn Jahre – bist übrigens kaum sehr verändert – zehn Jahre, 'n ekliger Fetzen Zeit – was macht Schn . . . Schnurz nannten wir ihn ja wohl? Fips, – die ganze heitere Blase von damals? Hast Du den Einen oder Anderen im Auge behalten?

LOTH. Sach 'mal, solltest Du das nicht wissen?

HOFFMANN. Was?

LOTH. Daß er sich erschossen hat.

HOFFMANN. Wer? – hat sich wieder 'mal erschossen?

5 LOTH. Fips! Friedrich Hildebrandt.

HOFFMANN. I warum nich gar!

LOTH. Ja! er hat sich erschossen – im Grunewald, an einer
   sehr schönen Stelle der Havelseeufer. Ich war dort, man
   hat den Blick auf Spandau.

10 HOFFMANN. Hm! – Hätt' ihm das nicht zugetraut, war
   doch sonst keine Heldennatur.

LOTH. Deswegen hat er sich eben erschossen. – Gewissenhaft war er, sehr gewissenhaft.

HOFFMANN. Gewissenhaft? Woso?

15 LOTH. Nun, darum eben . . . . sonst hätte er sich wohl
   nicht erschossen.

HOFFMANN. Versteh' nicht recht.

LOTH. Na, die Farbe seiner politischen Anschauungen
   kennst Du doch?

20 HOFFMANN. Ja, grün.

LOTH. Du kannst sie gern so nennen. Er war, dies wirst Du
   ihm wohl lassen müssen, ein talentvoller Jung. – Fünf
   Jahre hat er als Stuccateur arbeiten müssen, andere fünf
   Jahre dann, so zu sagen, auf eigene Faust durchgehun-
25   gert und dazu kleine Statuetten modellirt.

HOFFMANN. Abstoßendes Zeug. Ich will von der Kunst
   erheitert sein. . . . Nee! diese Sorte Kunst war durchaus nicht mein Geschmack.

LOTH. Meiner war es auch nicht, aber er hatte sich nun
30   doch einmal drauf versteift. Voriges Frühjahr schrie-
   ben sie da ein Denkmal aus; irgend ein Duodezfürst-

chen, glaub' ich, sollte verewigt werden. Fips hatte sich betheiligt und gewonnen; kurz darauf schoß er sich todt.

HOFFMANN. Wo da die Gewissenhaftigkeit stecken soll, ist mir völlig schleierhaft. – Für so was habe ich nur eine Benennung: Spahn – auch Wurm – Spleen – so was.

LOTH. Das ist ja das allgemeine Urtheil.

HOFFMANN. Thut mir leid, kann aber nicht umhin mich ihm anzuschließen.

. . . .

LOTH. Es ist ja für ihn auch ganz gleichgültig, was . . .

HOFFMANN. Ach überhaupt lassen wir das. Ich bedauere ihn im Grunde ganz ebenso sehr wie Du, aber – nun ist er doch einmal todt, der gute Kerl; – erzähle mir lieber was von D i r, was Du getrieben hast, wie's Dir ergangen ist.

LOTH. Es ist mir so ergangen, wie ich's erwarten mußte. – Hast Du gar nichts von mir gehört? – durch die Zeitungen mein' ich.

HOFFMANN *(ein wenig befangen)*. Wüßte nicht.

LOTH. Nichts von der Leipziger Geschichte?

HOFFMANN. Ach so, d a s ! – Ja! – Ich glaube . . . . nichts Genaues.

LOTH. Also, die Sache war folgende:

HOFFMANN *(seine Hand auf Loth's Arm legend)*. Ehe Du anfängst: willst Du denn g a r nichts zu Dir nehmen?

LOTH. Später vielleicht.

HOFFMANN. Auch nicht ein Gläschen Cognac?

LOTH. Nein. Das am allerwenigsten.

HOFFMANN. Nun, dann werde ich ein Gläschen . . . . . Nichts besser für den Magen *(holt Flasche und zwei Gläs-*

chen vom Buffet, setzt Alles auf den Tisch vor Loth).
Grand Champagne, feinste Nummer; ich kann ihn empfehlen. – Möchtest Du nicht . . . . ?

LOTH. Danke!

HOFFMANN *(kippt das Gläschen in den Mund).* Oah! – na,
nu bin ich ganz Ohr.

LOTH. Kurz und gut: da bin ich eben sehr stark hineinge-
fallen.

HOFFMANN. Mit zwei Jahren, glaub ich?!

LOTH. Ganz recht! Du scheinst es ja doch also zu wissen.
Zwei Jahre Gefängniß bekam ich, und nachdem haben
sie mich noch von der Universität relegirt. Damals war
ich – einundzwanzig – nun! in diesen zwei Gefängniß-
jahren habe ich mein erstes volkswirthschaftliches Buch
geschrieben. Daß es gerade ein Vergnügen gewesen, zu
brummen, müßte ich allerdings lügen.

HOFFMANN. Wie man doch einmal so sein konnte! merkwürdig! Sowas hat man sich nun allen Ernstes in den
Kopf gesetzt. Baare Kindereien sind es gewesen, kann
mir nicht helfen. Du! – nach Amerika auswandern, 'n
Dutzend Gelbschnäbel wie wir! – wir und Musterstaat
gründen! Köstliche Vorstellung!

LOTH. Kindereien?! – tjaa! In gewisser Beziehung sind es
auch wirklich Kindereien gewesen; wir unterschätzten
die Schwierigkeiten eines solchen Unternehmens.

HOFFMANN. Und daß Du nun wirk–lich hinaus
gingst – nach Amerika – all–len Ernstes mit leeren Händen . . . . Denk doch mal an, was es heißt, Grund
und Boden für einen Musterstaat mit leeren Händen er-
werben zu wollen: das ist ja beinah ver . . . . . , jedenfalls ist es einzig naiv.

LOTH. Ach, gerade mit dem Ergebniß meiner Amerika-
fahrt bin ich ganz zufrieden.

HOFFMANN *(laut auflachend)*. Kaltwasserkur, vorzügliche
Resultate, wenn Du es so meinst . . .

LOTH. Kann sein, ich bin etwas abgekühlt worden; damit ist mir aber gar nichts Besonderes geschehen.
Jeder Mensch macht seinen Abkühlungsprozeß durch.
Ich bin jedoch weit davon entfernt, den Werth
der . . . . nun, sagen wir hitzigen Zeit zu verken-
nen, sie war auch gar nicht so furchtbar naiv, wie Du
sie hinstellst.

HOFFMANN. Na, ich weiß nicht?!

LOTH. Du brauchst nur an die Durchschnittskindereien
unserer Tage denken: das Couleurwesen auf den Universitäten, das Saufen, das Pauken. Warum all' der
Lärm? Wie Fips zu sagen pflegte: um Hekuba!
Um Hekuba drehte es sich bei uns doch wohl nicht; wir
hatten die allerhöchsten menschheitlichen Ziele im Auge. Und abgesehen davon, diese naive Zeit hat bei mir
gründlich mit Vorurtheilen aufgeräumt, ich bin mit der
Scheinreligion und Scheinmoral und mit noch manchem
anderen . . . .

HOFFMANN. Das kann ich Dir ja auch ohne Weiteres zuge-
ben: Wenn ich jetzt doch immerhin ein vorurtheilsloser,
aufgeklärter Mensch bin, dann verdanke ich das, wie ich
gar nicht leugne, den Tagen unseres Umgangs. – Natürlicherweise! – Ich bin der Letzte, das zu leugnen. – Ich
bin überhaupt in keiner Beziehung Unmensch. Nur
muß man nicht mit dem Kopfe durch die Wand rennen
wollen. – Man muß nicht die Übel, an denen die gegen-
wärtige Generation, leider Gottes, krankt, durch noch

größere verdrängen wollen; man muß – Alles ruhig seinen natürlichen Gang gehen lassen. Was kommen soll,
kommt! Praktisch, praktisch muß man verfahren! Erinnere Dich! Ich habe das früher gerade so betont:
Und dieser Grundsatz hat sich bezahlt gemacht. – Das
ist es ja eben. Ihr Alle – Du mit eingerechnet –, Ihr ver-
fahrt höchst unpraktisch.

LOTH. Erklar' mir eben mal, wie Du das meinst.

HOFFMANN. Einfach! Ihr nützt Eure Fähigkeiten nicht
aus. Zum Beispiel Du: 'n Kerl wie Du, mit Kenntnissen,
Energie etc., was hätte Dir nicht offen gestanden! Statt
dessen, was machst Du? Com-pro-mit-tirst Dich
von vornherein der-art . . . . na, Hand aufs Herz!
Hast Du das nicht manchmal bereut?

LOTH. Ich konnte nicht gut bereuen, weil ich ohne Schuld
verurtheilt worden bin.

HOFFMANN. Kann ich ja nicht beurtheilen, weißt Du.

LOTH. Du wirst das gleich können, wenn ich Dir sage: die
Anklageschrift führte aus, ich hätte unseren Verein Vancouver-Island nur zum Zwecke parteilicher Agitation ins
Leben gerufen, dann sollte ich auch Geld zu Partei-
zwecken gesammelt haben. Du weißt ja nun, daß es uns
mit unseren colonialen Bestrebungen Ernst war, und
was das Geldsammeln anlangt, so hast Du ja selbst gesagt, daß wir Alle miteinander leere Hände hatten. Die
Anklage enthält also kein wahres Wort, und als Mitglied
solltest Du das doch . . . .

HOFFMANN. Na – Mitglied war ich doch wohl eigentlich
nicht so recht. – Übrigens glaube ich Dir selbstredend. –
Die Richter sind halt immer nur Menschen, muß man
nehmen. – Jedenfalls hättest Du, um praktisch zu han-

deln, auch den Schein meiden müssen. Überhaupt: ich habe mich in der Folge manchmal baß gewundert über Dich: Redacteur der Arbeiterkanzel, des obscursten aller Käseblättchen – Reichstagscandidat des süßen Pöbels! Und was hast Du nu davon? – versteh' mich nicht falsch! Ich bin der Letzte, der es an Mitleid mit dem armen Volke fehlen läßt, aber wenn etwas geschieht, dann mag es von Oben herab geschehen! Es muß sogar von Oben herab geschehen, das Volk weiß nun mal nicht, was ihm noth thut – das »Von-unten-herauf«, siehst Du, das eben nenne ich das »Mit-dem-Kopf-durch-die-Wand-rennen«.

LOTH. Ich bin aus dem, was Du eben gesagt hast, nicht klug geworden.

HOFFMANN. Na, ich meine eben: sieh mich an! ich habe die Hände frei: ich könnte nu schon anfangen, was für die Ideale zu thun. – Ich kann wohl sagen, mein praktisches Programm ist nahezu durchgeführt. Aber Ihr . . . . immer mit leeren Händen, was wollt denn Ihr machen?

LOTH. Ja, wie man so hört: Du segelst stark auf Bleichröder zu.

HOFFMANN (geschmeichelt). Zu viel Ehre – vorläufig noch. Wer sagt das? – Man arbeitet eben seinen soliden Stiefel fort: das belohnt sich naturgemäß – wer sagt das übrigens?

LOTH. Ich hörte drüben in Jauer zwei Herren am Nebentisch davon reden.

HOFFMANN. Ä! Du! – Ich habe Feinde! – Was sagten die denn übrigens?

LOTH. Nichts Besonderes. Durch sie erfuhr ich: daß Du

Dich zur Zeit eben hier auf das Gut Deiner Schwiegereltern zurückgezogen hast.

HOFFMANN. Was die Menschen nicht alles ausschnüffeln! Lieber Freund! Du glaubst nicht, wie ein Mann in meiner Stellung auf Schritt und Tritt beobachtet wird: Das ist auch so 'n Übelstand des Reich . . . . – Die Sache ist nämlich d i e : ich erwarte der größeren Ruhe und gesünderen Luft wegen die Niederkunft meiner Frau h i e r.

LOTH. Wie paßt denn das aber mit dem Arzt? Ein guter Arzt ist doch in solchen Fällen von allergrößter Wichtigkeit. Und hier auf dem Dorfe . . . .

HOFFMANN. Das ist es eben, der Arzt hier ist ganz besonders tüchtig; und, weißt Du, so viel habe ich bereits weg: Gewissenhaftigkeit geht beim Arzt über Genie.

LOTH. Vielleicht ist sie eine Begleiterscheinung des Genie's im Arzt.

HOFFMANN. Mein'twegen, jedenfalls h a t unser Arzt Gewissen. Er ist nämlich auch so'n Stück Ideologe, halb und halb unser Schlag – reussirt schauderhaft unter Bergleuten und auch unter dem Bauernvolk. Man vergöttert ihn geradezu. Zu Zeiten übrigens 'n recht unverdaulicher Patron, 'n Mischmasch von Härte und Sentimentalität. Aber, wie gesagt, Gewissenhaftigkeit weiß ich zu schätzen! – Unbedingt! – Eh' ich's vergesse . . . . es ist mir nämlich darum zu thun . . . man muß immer wissen, wessen man sich zu versehen hat . . . . Höre! . . . . sage mir doch . . . . ich seh' Dir's an, die Herren am Nebentische haben nichts Gutes über mich gesprochen. – Sag' mir doch, bitte! was sie gesprochen haben.

LOTH. Das sollte ich wohl nicht thun, denn ich will Dich nachher um zweihundert Mark bitten, geradezu bitten, denn ich werde sie Dir wohl kaum je wiedergeben können.

HOFFMANN *(zieht ein Checbuch aus der Brusttasche, füllt Chec aus, übergiebt ihn Loth)*. Bei irgend einer Reichsbankfiliale . . . . Es ist mir 'n Vergnügen . . . .

LOTH. Deine Fixigkeit übertrifft alle meine Erwartungen. – Na! – ich nehm' es dankbar an und Du weißt ja, übel angewandt ist es auch nicht.

HOFFMANN *(mit Anflug von Pathos)*. Ein Arbeiter ist seines Lohnes werth! – doch jetzt, Loth! sei so gut, sag mir, was die Herren am Nebentisch . . . .

LOTH. Sie haben wohl Unsinn gesprochen.

HOFFMANN. Sag mir's trotzdem, bitte! – Es ist mir lediglich interessant, le d i g - l i c h interessant –

LOTH. Es war davon die Rede, daß Du hier einen Anderen aus der Position verdrängt hättest, – einen Bauunternehmer Müller.

HOFFMANN. Na-tür-lich! d i e s e Geschichte!

LOTH. Ich glaube, der Mann sollte mit Deiner jetzigen Frau verlobt gewesen sein.

HOFFMANN. War er auch. – Und was weiter?

LOTH. Ich erzähle Dir Alles, wie ich es hörte, weil ich annehme: es kommt Dir darauf an, die Verleumdung möglichst getreu kennen zu lernen.

HOFFMANN. Ganz recht! Also?

LOTH. So viel ich heraus hörte, soll dieser Müller den Bau einer Strecke der hiesigen Gebirgsbahn übernommen haben.

HOFFMANN. Ja! Mit lumpigen zehntausend Thalern Vermögen. Als er einsah, daß dieses Geld nicht zureichte, wollte er schnell eine Witzdorfer Bauerntochter fischen; meine jetzige Frau sollte diejenige sein, welche.

5 LOTH. Er hätte es, sagten sie, mit der Tochter, Du mit dem Alten gemacht. – Dann hat er sich ja wohl erschossen?! – Auch seine Strecke hättest Du zu Ende gebaut und noch sehr viel Geld dabei verdient.

HOFFMANN. Darin ist einiges Wahre enthalten, doch – ich
10 könnte Dir eine Verknüpfung der Thatsachen geben . . . . Wußten sie am Ende noch mehr dergleichen erbaulichen Dinge?

LOTH. Ganz besonders – muß ich Dir sagen – regten sie sich über Etwas auf: sie rechneten sich vor, welch ein
15 enormes Geschäft in Kohlen Du jetzt machtest und nannten Dich einen . . . . na, schmeichelhaft war es eben nicht für Dich. Kurz gesagt, sie erzählten, Du hättest die hiesigen dummen Bauern beim Champagner überredet, einen Vertrag zu unterzeichnen, in welchem
20 Dir der alleinige Verschleiß aller in ihren Gruben geförderter Kohle übertragen worden ist gegen eine Pachtsumme, die fabelhaft gering sein sollte.

HOFFMANN (*sichtlich peinlich berührt, steht auf*). Ich will Dir was sagen, Loth . . . . Ach, warum auch noch
25 darin rühren? Ich schlage vor, wir denken an's Abendbrod, mein Hunger ist mörderisch. – Mörderischen Hunger habe ich. (*Er drückt auf den Knopf einer elektrischen Leitung, deren Draht in Form einer grünen Schnur auf das Sopha herunter hängt; man hört das Läuten einer*
30 *elektrischen Klingel.*)

LOTH. Nun, wenn Du mich hier behalten willst – dann sei

so gut . . . . . ich möchte mich eben 'n bischen säubern.

HOFFMANN. Gleich sollst Du alles Nöthige . . . . *(Eduard tritt ein, Diener in Livree.)* Eduard! führen Sie den Herrn in's Gastzimmer.

EDUARD. Sehr wohl, gnädiger Herr.

HOFFMANN *(Loth die Hand drückend)*. In spätestens fünfzehn Minuten möchte ich Dich bitten, zum Essen herunter zu kommen.

LOTH. Übrig Zeit, also, Wiedersehen!

HOFFMANN. Wiedersehen!

(Eduard öffnet die Thür und läßt Loth vorangehen. Beide ab. Hoffmann kratzt sich den Hinterkopf, blickt nachdenklich auf den Fußboden, geht dann auf die Thür rechts zu, deren Klinke er bereits gefaßt hat, als Helene, welche hastig durch die Glasthür eingetreten ist, ihn anruft.)

HELENE. Schwager! Wer war das?

HOFFMANN. Das war einer von meinen Gymnasialfreunden, der älteste sogar, Alfred Loth.

HELENE *(schnell)*. Ist er schon wieder fort?

HOFFMANN. Nein! Er wird mit uns zu Abend essen. – Womöglich . . . . ja, womöglich auch hier übernachten.

HELENE. Oh Jeses! Da komme ich nicht zum Abendessen.

HOFFMANN. Aber Helene!

HELENE. Was brauche ich auch unter gebildete Menschen zu kommen, ich will nur ruhig weiter verbauern.

HOFFMANN. Ach, immer diese Schrullen! Du wirst mir sogar den großen Dienst erweisen und die Anordnun-

gen für den Abendtisch treffen. Sei so gut! – Wir
machen's 'n bischen feierlich. Ich vermuthe nämlich, er
führt irgend was im Schilde.

HELENE. Was meinst Du, im Schilde führen?

5 HOFFMANN. Maulwurfsarbeit – Wühlen, Wühlen. – Davon verstehst Du nun freilich nichts. – Kann mich übrigens täuschen, denn ich habe bis jetzt vermieden auf
diesen Gegenstand zu kommen. Jedenfalls mach' Alles
recht einladend, auf diese Weise ist den Leuten noch am

10 leichtesten . . . Champagner natürlich! Die Hummern von Hamburg sind angekommen?

HELENE. Ich glaube, sie sind heut früh angekommen.

HOFFMANN. Also, Hummern! *(es klopft sehr stark)* herein!

15 POSTPACKETTRÄGER *(eine Kiste unter'm Arm, eintretend,
spricht er in singendem Tone).* eine K i s - t e .

HELENE. Von wo?

PACKETTRÄGER. Ber-lin.

HOFFMANN. Richtig! es werden die Kindersachen von
20 Herzog sein. *(Er besieht das Packet und nimmt den Abschnitt.)* Ja, ja, es sind die Sachen von Herzog.

HELENE. D i e - s e Kiste voll? Du übertreibst.

HOFFMANN. *(Lohnt den Packetträger ab.)*

PACKETTRÄGER *(ebenso halb singend).* Schön'n gu'n
25 A-bend *(ab).*

HOFFMANN. Wieso übertreiben?

HELENE. Nun, hiermit kann man doch wenigstens drei
Kinder ausstatten.

HOFFMANN. Bist Du mit meiner Frau spazieren gegangen?
30 HELENE. Was soll ich machen, wenn sie immer gleich
müde wird?

HOFFMANN. Ach was! immer gleich müde. – Sie macht mich unglücklich! Ein und eine halbe Stunde . . . sie soll doch um Gottes Willen thun was der Arzt sagt. Zu was hat man denn den Arzt, wenn . . .

HELENE. Dann greife Du ein, schaff' die Spillern fort! Was soll ich gegen so 'n altes Weib machen, die ihr immer nach dem Munde geht.

HOFFMANN. Was denn? . . . ich als Mann . . . was soll ich als Mann? . . . und außerdem, Du kennst doch die Schwiegermama.

HELENE *(bitter)*. Allerdings.

HOFFMANN. Wo ist sie denn jetzt?

HELENE. Die Spillern stutzt sie heraus, seit Herr Loth hier ist; sie wird wahrscheinlich zum Abendbrod wieder ihr Rad schlagen.

HOFFMANN *(schon wieder in eigenen Gedanken, macht einen Gang durch's Zimmer; heftig)*. Es ist das letzte Mal, auf Ehre! daß ich so etwas hier in diesem Hause abwarte. – Auf Ehre!

HELENE. Ja, Du hast es eben gut. Du kannst gehen, wohin Du willst.

HOFFMANN. Bei mir zu Hause wäre der unglückliche Rückfall in dies schauderhafte Laster auch sicher nicht vorgekommen.

HELENE. Mich mache dafür nicht verantwortlich! Von mir hat sie den Branntwein nicht bekommen. Schaff' Du nur die Spillern fort, ich sollte bloß 'n Mann sein.

HOFFMANN *(seufzend)*. Ach, wenn es nur erst wieder vorüber wär'! – *(in der Thür rechts)* also Schwägerin, Du thust mir den Gefallen: einen recht apetitlichen Abendtisch! Ich erledige schnell noch eine Kleinigkeit.

HELENE *(drückt auf den Klingelknopf. Miele kommt)*. Miele, decken Sie den Tisch! Eduard soll Sekt kalt stellen und vier Dutzend Austern öffnen.

MIELE *(unterdrückt, batzig)*. Sie kinn'n 's 'm salber sagen, a nimmt nischt oa vu mir, a meent immer: a wär ok beim Inschinnär gemit't.

HELENE. Dann schick' ihn wenigstens rein.

(Miele ab. Helene tritt vor den Spiegel, ordnet dies und das an ihrer Toilette; währenddeß tritt Eduard ein.)

HELENE *(immer noch vor dem Spiegel)*. Eduard, stellen Sie Sekt kalt und öffnen Sie Austern! Herr Hoffmann hat es befohlen.

EDUARD. Sehr wohl, Fräulein. *(Eduard ab. Gleich darauf klopft es an die Mittelthür.)*

HELENE *(fährt zusammen)*. Großer Gott! – *(zaghaft:)* Herein! – *(lauter und fester:)* herein!

LOTH *(tritt ein ohne Verbeugung)*. Ach, um Verzeihung! – ich wollte nicht stören, – mein Name ist Loth.

HELENE *(verbeugt sich tanzstundenmäßig)*.

Stimme HOFFMANN'S *(durch die geschlossene Zimmerthür)* Kinder! keine Umstände! – ich komme gleich heraus. Loth! es ist meine Schwägerin Helene Krause! und Schwägerin! es ist mein Freund Alfred Loth! Betrachtet Euch als vorgestellt.

HELENE. Nein, über Dich aber auch!

LOTH. Ich nehme es ihm nicht übel, Fräulein! bin selbst, wie man mir sehr oft gesagt hat, in Sachen des guten Tons ein halber Barbar. – Aber wenn ich Sie gestört habe, so . . .

HELENE. Bitte, – Sie haben mich gar nicht gestört, – durchaus nicht. *(Befangenheitspause, hierauf:)* Es ist . . . .

es ist schön von Ihnen, daß – Sie meinen Schwager aufgesucht haben. Er beklagt sich immer von . . . er be-
dauert immer, von seinen Jugendfreunden so ganz vergessen zu sein.

LOTH. Ja, es hat sich zufällig so getroffen. – Ich war immer
in Berlin und daherum – wußte eigentlich nicht wo
Hoffmann steckte. Seit meiner Breslauer Studienzeit
war ich nicht mehr in Schlesien.

HELENE. Also nur so zufällig sind Sie auf ihn gestoßen?

LOTH. Nur ganz zufällig – und zwar gerade an dem Ort, wo
ich meine Studien zu machen habe.

HELENE. Ach, Spaß! – Witzdorf und Studien machen,
nicht möglich! in diesem armseligen Neste?!

LOTH. Armselig nennen Sie es? – Aber es liegt doch hier
ein ganz außergewöhnlicher Reichthum.

HELENE. Ja doch! in der Hinsicht . . .

LOTH. Ich habe nur immer gestaunt. Ich kann Sie versi-
chern, solche Bauernhöfe giebt es nirgend wo anders, da
guckt ja der Überfluß wirklich aus Thüren und Fenstern.

HELENE. Da haben Sie recht: in mehr als einem Stalle
hier fressen Kühe und Pferde aus marmornen Krippen
und neusilbernen Raufen! das hat die Kohle gemacht,
die unter unseren Feldern gemuthet worden ist, die hat
die armen Bauern im Handumdrehen steinreich gemacht *(sie weist auf das Bild an der Hinterwand)*. Sehen
Sie da – mein Großvater war Frachtfuhrmann; das Gütchen gehörte ihm, aber der geringe Boden ernährte ihn
nicht, da mußte er Fuhren machen. – Das dort ist er
selbst in der blauen Blouse – man trug damals noch solche blaue Blousen. – Auch mein Vater als junger Mensch

ist darin gegangen. – Nein! – so meinte ich es nicht – mit dem »armselig«; nur ist es so öde hier. So . . . gar nichts für den Geist giebt es. Zum Sterben langweilig ist es.

(Miele und Eduard ab- und zugehend decken den Tisch rechts im Hintergrunde.)

LOTH. Giebt es denn nicht zuweilen Bälle oder Kränzchen?

HELENE. Nicht 'mal das giebt es. Die Bauern spielen, jagen, trinken . . . was sieht man den ganzen Tag? *(sie ist vor das Fenster getreten und weist mit der Hand hinaus)* hauptsächlich solche Gestalten.

LOTH. Hm! Bergleute.

HELENE. Welche gehen zur Grube, welche kommen von der Grube: das hört nicht auf. – Wenigstens ich sehe immer Bergleute. Denken Sie, daß ich alleine auf die Straße mag? höchstens auf die Felder, durch das Hinterthor. Es ist ein zu rohes Pack! – und wie sie einen immer anglotzen, so schrecklich finster – als ob man geradezu was verbrochen hätte.

Im Winter, wenn wir so manchmal Schlitten gefahren sind[,] und sie kommen dann in der Dunkelei in großen Trupps über die Berge, im Schneegestöber[,] und sie sollen ausweichen, da gehen sie vor den Pferden her und weichen nicht aus. Da nehmen die Bauern manchmal den Peitschenstiel, anders kommen sie nicht durch. Ach, und dann schimpfen sie hinterher. Hu! ich habe mich manchmal so entsetzlich geängstigt.

LOTH. Und nun denken Sie an: Gerade um dieser Menschen willen – vor denen Sie sich so sehr fürchten, bin ich hierher gekommen.

HELENE. Nein aber . . .

LOTH. Ganz im Ernst, sie interessiren mich hier mehr als Alles andere.

HELENE. Niemand ausgenommen?

LOTH. Nein.

HELENE. Auch mein Schwager nicht ausgenommen? 5

LOTH. Nein! – das Interesse für diese Menschen ist ein ganz anderes, – höheres . . . verzeihen Sie, Fräulein! Sie können das am Ende doch wohl nicht verstehen.

HELENE. Wieso nicht? ich verstehe Sie sehr gut. Sie . . . 10 *(sie läßt einen Brief aus der Tasche gleiten, Loth bückt sich darnach)* ach, lassen Sie . . . es ist nicht wichtig, nur eine gleichgültige Pensionscorrespondenz.

LOTH. Sie sind in Pension gewesen?

HELENE. Ja, in Herrnhut. Sie müssen nicht denken, daß 15 ich . . . nein, nein, ich verstehe Sie schon.

LOTH. Ich meine[,] die Arbeiter interessiren mich um ihrer selbst willen.

HELENE. Ja, freilich, – es ist ja sehr interessant . . . so ein Bergmann . . . wenn man's so nehmen will . . . 20 es giebt ja Gegenden, wo man gar keine findet, aber wenn man sie so täglich . . .

LOTH. Auch wenn man sie täglich sieht, Fräulein . . . man muß sie sogar täglich sehen, um das Interessante an ihnen herauszufinden. 25

HELENE. Nun, wenn es so schwer herauszufinden . . . was ist es denn dann? das Interessante mein' ich.

LOTH. Es ist zum Beispiel interessant, daß diese Menschen, wie Sie sagen, immer so gehässig oder finster 30 blicken.

HELENE. Wieso meinen Sie, daß das besonders interessant ist?

LOTH. Weil es nicht das Gewöhnliche ist. Wir Anderen pflegen doch nur zeitweilig und keineswegs immer so zu blicken.

HELENE. Ja, weshalb blicken sie denn nur immer so . . . so gehässig, so mürrisch? es muß doch einen Grund haben.

LOTH. Ganz recht! und den möchte ich gern herausfinden.

HELENE. Ach Sie sind! Sie lügen mir was vor. Was hätten Sie denn davon, wenn Sie das auch wüßten?

LOTH. Man könnte vielleicht Mittel finden, den Grund, warum diese Leute immer so freudlos und gehässig sein müssen, wegzuräumen; – man könnte sie vielleicht glücklicher machen.

HELENE *(ein wenig verwirrt)*. Ich muß Ihnen ehrlich sagen, daß . . . aber gerade jetzt verstehe ich Sie doch vielleicht ein ganz klein wenig. – Es ist mir nur . . . nur so ganz neu, so – ganz – neu!

HOFFMANN *(durch die Thüre rechts eintretend, er hat eine Anzahl Briefe in der Hand)*. So! da bin ich wieder. – Eduard! daß die Briefe noch vor 8 auf der Post sind *(er händigt dem Diener die Briefe ein, der Diener ab)*.

So, Kinder! jetzt können wir speisen. – Unerlaubte Hitze hier! September und solche Hitze! *(Er hebt den Champagner aus dem Eiskübel.)* Veuve Cliquot: Eduard kennt meine stille Liebe; *(zu Loth gewendet:)* habt ja furchtbar eifrig disputirt. *(Tritt an den fertig gedeckten, mit Delicatessen überladenen Abendtisch, reibt sich die Hände.)* Na! das sieht ja recht gut aus! *(mit einem verschmitzten Blick zu Loth hinüber:)* meinst Du nicht auch? – Übrigens, Schwägerin! wir bekommen Besuch: Kahl-Wilhelm. Er war auf den Hof.

HELENE *(macht eine ungezogene Geberde).*

HOFFMANN. Aber Beste! Du thust fast, als ob ich ihn . . . was kann denn i c h dafür? hab' ich ihn etwa g e r u f e n ? *(Man hört schwere Schritte draußen im Hausflur.)* Ach! das Unheil schreitet schnelle.

(Kahl tritt ein ohne vorher angeklopft zu haben. Er ist ein vierundzwanzigjähriger, plumper Bauernbursch, dem man es ansieht, daß er, so weit möglich, gern den feinen, noch mehr aber den reichen Mann heraustecken möchte. Seine Gesichtszüge sind grob, der Gesichtsausdruck vorwiegend dumm-pfiffig. Er ist bekleidet mit einem grünen Jaquet, bunter Sammtweste, dunklen Beinkleidern und Glanzlack-Schaftstiefeln. Als Kopfbedeckung dient ihm ein grüner Jägerhut mit Spielhahnfeder. Das Jaquet hat Hirschhornknöpfe, an der Uhrkette Hirschzähne etc., stottert.)

KAHL. Gun'n Abend mi'nander! *(Er erblickt Loth, wird sehr verlegen und macht stillstehend eine ziemlich klägliche Figur.)*

HOFFMANN *(tritt zu ihm und reicht ihm die Hand aufmunternd).* Guten Abend, Herr Kahl!

HELENE *(unfreundlich).* Guten Abend.

KAHL *(geht mit schweren Schritten quer durch das ganze Zimmer auf Helene zu und giebt ihr die Hand).* 'n Abend och, Lene.

HOFFMANN *(zu Loth).* Ich stelle Dir hiermit Herrn Kahl vor, unseren Nachbarssohn.

KAHL *(grinst und dreht den Hut. Verlegenheitsstille).*

HOFFMANN. Zu Tisch Kinder! fehlt noch Jemand? Ach,
die Schwiegermama. Miele! bitten Sie Frau Krause zu
Tisch.

(Miele ab durch die Mittelthür.)

5 MIELE *(draußen im Hausflur schreiend)*. Frau!! – Frau!! Assa kumma! Se sill'n assa kumma!

*(Helene und Hoffmann blicken einander an und lachen
verständnißinnig, dann blicken sie vereint auf Loth.)*

HOFFMANN *(zu Loth)*. Ländlich, sittlich!

10 *(Frau Krause erscheint, furchtbar aufgedonnert. Seide
und kostbarer Schmuck. Haltung und Kleidung verrathen
Hoffart, Dummstolz, unsinnige Eitelkeit.)*

HOFFMANN. Ah! da ist Mama! – Du gestattest, daß ich Dir
meinen Freund Dr. Loth vorstelle.

15 FRAU KRAUSE *(macht einen undefinirbaren Knix)*. Ich bin
so frei! *(Nach einer kleinen Pause:)* Nein, aber auch, Herr
Doctor, nahmen Sie mir's ock bei Leibe nicht ibel! Ich
muß mich zurerscht muß ich mich vor ihn'n vertefentiren, *(sie spricht je länger, um so schneller)* vertefentiren
20 wegen meiner vorhinigten Benehmigung. Wissen Se,
verstihn Se, es komm' ein der Drehe bei uns eine so ane
gruß mächtige Menge Stremer . . . . Se kinn's ni gle-
ba, ma hoot mit dan Battelvulke seine liebe Noth. A su
Enner, dar maust akrat wie a Ilster; uf da Pfennig kimmt's
25 ins ne ernt oa, ne ock ne, ma braucht a ni dreimol rimzu-
drehn, au ken'n Thoaler nich, eeb ma'n ausgibbt. De
Krausa-Ludwig'n, die iis geizig, schlimmer wie a
Homster egelganz, die ginnt ke'm Luder nischt. Ihrer is
gesturba aus Arjer, weil a lumpigte zwetausend ei Bras-
30 sel verloern hoot. Ne, ne! a su sein mir dorchaus nicht.
Sahn Se, doas Buffett kust't mich zwehundert Thoaler, a

Transpurt ni gerechent; na, d'r Beron Klinkow koans au
ne andersch honn.

(Frau Spiller ist kurz nach Frau Krause ebenfalls eingetre-
ten, sie ist klein, schief und mit den zurückgelegten Sachen
der Frau Krause herausgestutzt. Während Frau Krause 5
spricht, hält sie mit einer Art Andacht die Augen zu ihr
aufgeschlagen. Sie ist etwa fünfundfünfzig Jahre alt, ihr
Ausathmen geschieht jedesmal mit einem leisen Stöhnen,
welches auch, wenn sie redet, regelmäßig wie – m – hör-
bar wird.) 10

FRAU SPILLER *(mit unterwürfigem, wehmüthig gezierten*
moll-Ton, sehr leise). Der Baron Klinkow haben genau
dasselbe Buffet – m –.

HELENE *(zu Frau Krause).* Mama! wollen wir uns nicht erst
setzen, dann 15

FRAU KRAUSE *(wendet sich blitzschnell und trifft Hele-*
ne mit einem vernichtenden Blick; kurz und herrisch).
S c h i c k t s i c h d o a s? *(Frau Krause, im Begriff sich*
zu setzen, erinnert sich, daß das Tischgebet noch
nicht gesprochen ist, und faltet mechanisch, doch oh- 20
ne ihrer Bosheit im Übrigen Herr zu sein, die Hän-
de.)

FRAU SPILLER *(spricht das Tischgebet).*
    Komm', Herr Jesu, sei unser Gast,
    Segne, was Du uns bescheeret hast. 25
    Amen.
(Alle setzen sich mit Geräusch. Mit dem Zulangen und Zu-
reichen, welches einige Zeit in Anspruch nimmt, kommt
man über die peinliche Situation hinweg.)

HOFFMANN *(zu Loth).* Lieber Freund, Du bedienst Dich 30
wohl?! Austern?

LOTH. Nun, will probiren, es sind die ersten Austern, die ich esse.

FRAU KRAUSE *(hat soeben eine Auster geschlürft. Mit vollem Munde).* In dar Seisong mein'n Se woll?

LOTH. Ich meine überhaupt.

(Frau Krause und Frau Spiller wechseln Blicke.)

HOFFMANN *(zu Kahl, der eine Citrone mit den Zähnen auspreßt).* Zwei Tage nicht gesehen, Herr Kahl! Tüchtig Mäuse gejagt in der Zeit?

KAHL. N . . . n . . ne!

HOFFMANN *(zu Loth).* Herr Kahl ist nämlich ein leidenschaftlicher Jäger.

KAHL. D . . d . . die M . . mm . . maus, das ist 'n in . . . in . . infamtes Am . . am . . amf . . ff . . fibium.

HELENE *(platzt heraus).* Zu lächerlich ist das, Alles schießt er todt, Zahmes und Wildes.

KAHL. N . . nächten hab ich d . . d . . die alte Szss . . sau vu ins t . . todt g . . g . . geschossen.

LOTH. Da ist wohl Schießen Ihre Hauptbeschäftigung?

FRAU KRAUSE. Herr Kahl thut's ock bloßig zum Prifatvergnigen.

FRAU SPILLERN. Wald, Wild, Weib pflegten Seine Exellenz der Herr Minister von Schadendorf oftmals zu sagen.

KAHL. I . . i . . iberm . . m . . murne hab'n mer T . . t . . tau . . t . . taubenschießen.

LOTH. Was ist denn das: Taubenschießen?

HELENE. Ach, ich kann so was nicht leiden; es ist doch nichts als eine recht unbarmherzige Spielerei. Ungezogene Jungens, die mit Steinen nach Fensterscheiben zielen, thun etwas Besseres.

HOFFMANN. Du gehst zu weit, Helene.

HELENE. Ich weiß nicht –, meinem Gefühl nach hat es weit mehr Sinn, Fenster einzuschmeißen, als Tauben an einem Pfahl festzubinden und dann mit Kugeln nach ihnen zu schießen.

HOFFMANN. Na, Helene, – man muß doch aber bedenken . . . .

LOTH *(irgend etwas mit Messer und Gabel zerschneidend).* Es ist ein schandbarer Unfug.

KAHL. Um die p . poar Tauba . . . . !

FRAU SPILLER *(zu Loth).* Der Herr Kahl – m –, müssen Sie wissen, haben zweihundert Stück im Schlage.

LOTH. Die ganze Jagd ist ein Unfug.

HOFFMANN. Aber ein unausrottbarer. Da werden zum Beispiel eben jetzt wieder fünfhundert lebende Füchse gesucht, alle Förster hier herum und auch sonst in Deutschland verlegen sich auf's Fuchsgraben.

LOTH. Was macht man denn mit den vielen Füchsen?

HOFFMANN. Sie kommen nach England, wo sie die Ehre haben, von Lords und Ladys gleich vom Käfig weg zu Tode gehetzt zu werden.

LOTH. Muhamedaner oder Christ, Bestie bleibt Bestie.

HOFFMANN. Darf ich Dir Hummer reichen, Mama?

FRAU KRAUSE. Meinswejen, ei dieser Seisong sind se sehr gutt!

FRAU SPILLER. Gnädige Frau haben eine so feine Zunge – m –!

FRAU KRAUSE *(zu Loth).* Hummer ha'n Sie woll auch noch nich gegassen, Herr Ducter?

LOTH. Ja, Hummer habe ich schon hin und wieder gegessen –, an der See oben, in Warnemünde, wo ich geboren bin.

FRAU KRAUSE *(zu Kahl).* Gell, Wilhelm, ma weeß wirklich'n Gott manchmal nich mee, was ma assen sull?

KAHL. J . . j . . ja, w . . w . . weeß . . . weeß G . . Gott, Muhme.

EDUARD *(will Loth Champagner eingießen).* Champagner.

LOTH *(hält sein Glas zu).* Nein! . . . danke!

HOFFMANN. – Mach' keinen Unsinn.

HELENE. Wie, Sie trinken nicht?

LOTH. Nein, Fräulein.

HOFFMANN. Na, h ö r mal an: d a s ist aber doch . . . das ist l a n g weilig.

LOTH. Wenn ich tränke, würde ich noch langweiliger werden.

HELENE. Das ist interessant, Herr Doctor.

LOTH *(ohne Tact).* Daß ich langweiliger werde, wenn ich Wein trinke?

HELENE *(etwas betreten).* Nein, ach nein, daß . . . . daß Sie nicht trinken . . . . , daß Sie überhaupt nicht trinken, meine ich.

LOTH. Warum soll das interessant sein?

HELENE *(sehr roth werdend).* Es ist . . . . ist nicht das Gewöhnliche. *(Wird noch röther und sehr verlegen.)*

LOTH *(tollpatschig).* Da haben Sie Recht, leider.

FRAU KRAUSE *(zu Loth).* De Flasche kust uns fufza Mark, Sie kinn' a dreiste trink'n. Direct vu Rheims iis a, mir satz'n Ihn' gewiß nischt Schlechtes vier, mir mieja salber nischt Schlechtes.

FRAU SPILLER. Ach, glauben Sie mich – m –, Herr Doctor, wenn Seine Exellenz der Herr Minister von Schadendorf – m – so eine Tafel geführt hätten . . . .

KAHL. Ohne men'n Wein kennt ich nich laben.

HELENE *(zu Loth).* Sagen Sie uns doch, warum Sie nicht trinken?

LOTH. Das kann gerne geschehen, ich . . . .

HOFFMANN. Ä, was! alter Freund! *(Er nimmt dem Diener die Flasche ab, um nun seinerseits Loth zu bedrängen.)* Denk dran, wie manche hochfidele Stunde wir früher mit einander . . .

LOTH. Nein, bitte bemühe Dich nicht, es . . .

HOFFMANN. Trink heut mal!

LOTH. Es ist Alles vergebens.

HOFFMANN. Mir zu Liebe!
(Hoffmann will eingießen, Loth wehrt ab; es entsteht ein kleines Handgemenge.)

LOTH. Nein! . . . nein, wie gesagt . . . nein! . . . nein danke.

HOFFMANN. Aber nimm mir's nicht übel . . . das ist eine Marotte.

KAHL *(zu Fr. Spiller).* Wer nich will, dar hat schunn'.

FRAU SPILLER *(nickt ergeben).*

HOFFMANN. Übrigens, des Menschen Wille . . . und so weiter. So viel sage ich nur: ohne ein Glas Wein bei Tisch . . .

LOTH. Ein Glas Bier zum Frühstück . . .

HOFFMANN. Nun ja, warum nicht? ein Glas Bier ist was sehr gesundes.

LOTH. Ein Cognac hie und da . . .

HOFFMANN. Na, wenn man das nicht 'mal haben sollte . . . zum Asceten machst Du mich nun und nimmer, das heißt ja dem Leben allen Reiz nehmen.

LOTH. Das kann ich nicht sagen. Ich bin mit den n o r m a - l e n Reizen, die mein Nervensystem treffen, durchaus zufrieden.

HOFFMANN. Eine Gesellschaft, die trockenen Gaumens beisammen hockt, ist und bleibt eine verzweifelt öde und langweilige, – für die ich mich im Allgemeinen bedanke.

FRAU KRAUSE. Bei a Adlijen wird doch auch a so viel getrunk'n.

FRAU SPILLER (durch eine Verbeugung des Oberkörpers ergebenst bestätigend). Es ist Schentelmen leicht viel Wein zu trinken.

LOTH (zu Hoffmann). Mir geht es umgekehrt: mich l a n g - w e i l t im Allgemeinen eine Tafel, an der v i e l getrunken wird.

HOFFMANN. Es muß natürlich mäßig geschehen.

LOTH. Was nennst Du mäßig?

HOFFMANN. Nun, . . . daß man noch immer bei Besinnung bleibt.

LOTH. Aaah! . . . also Du giebst zu: die Besinnung ist im Allgemeinen durch den Alkohol-Genuß sehr gefährdet. – Siehst Du! deshalb sind mir Kneiptafeln – langweilig.

HOFFMANN. Fürchtest Du denn so leicht Deine Besinnung zu verlieren?

KAHL. Iiii . . . . . i . . ich habe n . n . . neulich ene Flasche Rrr . . . r . . rü . . . rüd . . desheimer, ene Flasche Sssssekt get . . t . . trunken. Oben drauf d . . d . . d . . dann nnoch eine Fla-

sche B . . b . . bordeaux, aber besuffen woar ich no
n . . nich.

LOTH *(zu Hoffmann)*. Ach nein. Du weißt ja wohl, daß ich
es war, der Euch nach Hause brachte, wenn Ihr Euch
übernommen hattet. Ich hab' immer noch die alte
Bärennatur: nein, d e s h a l b bin ich nicht so ängstlich.

HOFFMANN. Weshalb denn sonst?

HELENE. Ja, warum trinken Sie denn eigentlich nicht? bitte sagen Sie es doch.

LOTH *(zu Hoffmann)*. Damit Du doch beruhigt bist: ich
trinke heut schon deshalb nicht, weil ich mich ehrenwörtlich verpflichtet habe, geistige Getränke zu meiden.

HOFFMANN. Mit anderen Worten, Du bist glücklich bis
zum Mäßigkeitsvereinshelden herabgesunken.

LOTH. Ich bin völliger Abstinent.

HOFFMANN. Und auf wie lange, wenn man fragen darf,
machst Du diese . . . .

LOTH. Auf Lebenszeit.

HOFFMANN *(wirft Gabel und Messer weg und fährt halb
vom Stuhle auf)*. Pf! gerechter Strohsack!! *(Er setzt sich
wieder.)* Offen gesagt, für so kindisch . . . verzeih'
das harte Wort.

LOTH. Du kannst es gerne so benennen.

HOFFMANN. Wie in aller Welt bist Du nur d a r a u f g e -
k o m m e n.

HELENE. Für so etwas müssen Sie einen sehr gewichtigen
Grund haben – denke ich mir wenigstens.

LOTH. Der existirt allerdings. Sie, Fräulein! – und Du,
Hoffmann! weißt wahrscheinlich nicht, welche furchtbare Rolle der Alkohol in unserem modernen Leben
spielt . . . Lies B u n g e, wenn Du Dir einen Begriff

davon machen willst. – Mir ist noch gerade in Erinnerung, was ein gewisser Everett über die Bedeutung des Alkohols für die Vereinigten Staaten gesagt hat. – Notabene es bezieht sich auf einen Zeitraum von zehn Jahren. Er meint also: der Alkohol hat direct eine Summe von 3 Milliarden und indirect von 600 Millionen Dollars verschlungen. Er hat 300 000 Menschen getödtet, 100 000 Kinder in die Armenhäuser geschickt, weitere Tausende in die Gefängnisse und Arbeitshäuser getrieben, er hat mindestens 2000 Selbstmorde verursacht. Er hat den Verlust von wenigstens 10 Millionen Dollars durch Brand und gewaltsame Zerstörung verursacht, er hat 20 000 Wittwen und schließlich nicht weniger als 1 Million Waisen geschaffen. Die Wirkung des Alkohols, das ist das Schlimmste, äußert sich so zu sagen bis in's dritte und vierte Glied. – Hätte ich nun das ehrenwörtliche Versprechen abgelegt, nicht zu heirathen, dann könnte ich schon eher trinken, so aber . . . meine Vorfahren sind alle gesunde, kernige und wie ich weiß, äußerst mäßige Menschen gewesen. Jede Bewegung[,] die ich mache, jede Strapaze, die ich überstehe, jeder Athemzug gleichsam führt mir zu Gemüth, was ich ihnen verdanke. Und dies, siehst Du, ist der Punkt: ich bin absolut fest entschlossen die Erbschaft, die ich gemacht habe, ganz ungeschmälert auf meine Nachkommen zu bringen.

FRAU KRAUSE. Du! – Schwiegersuhn! – inse Bargleute saufen woarhaftig zu viel: Doas muuß woar sein.

KAHL. Die saufen wie d' Schweine.

HELENE. Ach! so etwas vererbt sich?

LOTH. Es giebt Familien[,] die daran zu Grunde gehen, Trinkerfamilien.

KAHL *(halb zu Frau Krause, halb zu Helene)*. Euer Aaler, dar treibt's au a wing zu tull.

HELENE *(weiß wie ein Tuch im Gesicht, heftig)*. Ach, schwatzen Sie keinen Unsinn!!!

FRAU KRAUSE. Ne, do hier Enner a su ein patziges Froovulk oa; a su ne Prinzessen. Hängst de wieder a mol de Gnädige raus, wie? – A su fährt se a Zukinftigen oa. *(Zu Loth, auf Kahl deutend:)* 's is nämlich d'r Zukinftige, missen Se nahmen, Herr Ducter, 's is Alles eim Renen.

HELENE *(aufspringend)*. Hör auf! oder . . . hör auf, Mutter! oder . . .

FRAU KRAUSE. Do hiert doch aber werklich . . . . na, do sprecha Se, Herr Ducter, iis das wull Bildung, hä? Weeß Gott, ich hal' se wie mei egnes Kind, aber die treibt's reen zu tull.

HOFFMANN *(beschwichtigend)*. Ach, Mama! thu' mir doch den Gefallen . . . .

FRAU KRAUSE. Neee!! g r o a d e – iich sah doas nich ein – a su ane Goans wie die iis . . . . do hiert olle Gerechtigkeet uff . . . . su ane Titte!

HOFFMANN. Mama, ich muß Dich aber wirklich doch jetzt bitten, Dich . . . .

FRAU KRAUSE *(immer wüthender)*. Stats doaß doas Froovulk ei der Wertschoft woas oagreft . . . bewoare ne! Doa zeucht se an Flunsch biis hinger beede Leffel. – Oaber da Schillerich, oaber a Gethemoan, a sune tumme Scheißkarle, die de nischt kinn'n als lieja: vu dan'n läßt

se sich a Kupp verdrehn. Urnar zum Kränke krieja iis
doas *(schweigt bebend vor Wuth).* . . . .
. . . .

HOFFMANN *(begütigend).* Nun – sie wird ja nun wie-
5   der . . . es war ja vielleicht – nicht ganz Recht . . .
es *(giebt Helenen, die in Erregung abseits getreten ist, ei-*
nen Wink, auf den hin sich das Mädchen, die Thränen
gewaltsam zurückhaltend, wieder auf seinen Platz be-
giebt).
10 HOFFMANN *(das nunmehr eingetretene peinliche Schwei-*
gen unterbrechend, zu Loth). Ja . . . von was sprachen wir doch? . . . Richtig! – vom biederen Alkohol. *(Er hebt sein Glas.)* Nun, Mama: Frieden! – Komm,
stoßen wir an, – seien wir friedlich, – machen wir dem
15 Alkohol Ehre, indem wir friedlich sind. *(Frau Krause,*
wenn auch etwas widerwillig, stößt doch mit ihm an.
Hoffmann, zu Helene gewendet.) Was, Helene?! – Dein
Glas ist leer? . . . Ei der Tausend, Loth! Du hast
Schule gemacht.
20 HELENE. Ach . . . nein . . . ich . . .
FRAU SPILLER. Mein gnädiges Fräulein, so etwas läßt
tief . . . .
HOFFMANN. Aber Du warst doch sonst keine von den
Zimperlichen.
25 HELENE *(batzig).* Ich hab eben heut keine Neigung zum
Trinken, e i n f a c h !
HOFFMANN. Bitte, bitte, bitte s e e e h r um Verzeihung . . .
Ja, von was sprachen wir doch?
LOTH. Wir sprachen davon, daß es Trinkerfamilien gäbe.
30 HOFFMANN *(auf's Neue betreten).* Schon recht, schon
recht, aber . . .

(Man bemerkt zunehmenden Ärger in dem Benehmen der Frau Krause, während Herr Kahl sichtlich Mühe hat, das Lachen über etwas, das ihn innerlich furchtbar zu amüsiren scheint, zurückzuhalten. Helene beobachtet Kahl ihrerseits mit brennenden Augen, und bereits mehr- 5
mals hat sie durch einen drohenden Blick Kahl davon zu-rückgehalten, etwas auszusprechen, was ihm so zu sagen auf der Zunge liegt. Loth, ziemlich gleichmüthig, mit Schälen eines Apfels beschäftigt, bemerkt von alledem nichts.) 10

LOTH. Ihr scheint übrigens hier ziemlich damit gesegnet zu sein.

HOFFMANN *(nahezu fassungslos)*. Wieso? . . . mit . . . mit was gesegnet?

LOTH. Mit Trinkern natürlicherweise. 15

HOFFMANN. Hm! . . . meinst Du? . . , ach . . . ja-ja . . . , allerdings, die Bergleute . . . . .

LOTH. Nicht nur die Bergleute. Zum Beispiel hier in dem Wirthshaus, wo ich abstieg, bevor ich zu Dir kam, da saß ein Kerl so: *(er stützt beide Ellenbogen auf den Tisch,* 20 *nimmt den Kopf in die Hände und stiert auf die Tisch-platte).*

HOFFMANN. Wirklich? *(Seine Verlegenheit hat den höch-sten Grad erreicht; Frau Krause hustet, Helene starrt noch immer auf Kahl, welcher jetzt am ganzen Körper vor in-* 25 *nerlichem Lachen bebt; sich aber doch noch so weit bän-digt, nicht laut herauszuplatzen.)*

LOTH. Es wundert mich, daß Du dieses – Original – könnte man beinahe sagen, noch nicht kennst. Das Wirthshaus ist ja gleich hier nebenan das. Mir wurde gesagt, es sei ein 30 hiesiger steinreicher Bauer, der seine Tage und Jahre

buchstäblich in diesem selben Gastzimmer mit Schnaps-
trinken zubrächte. Das reine Thier ist er natürlich. Diese
furchtbar öden, versoffenen Augen, mit denen er mich
anstierte.

5 *(Kahl, der bis hierher sich zurückgehalten hat, bricht in
ein rohes, lautes, unaufhaltsames Gelächter aus, so daß
Loth und Hoffmann, starr vor Staunen, ihn anblicken.)*

KAHL *(unter dem Lachen hervorstammelnd)*. Woahrhaftig!!! das is ja . . . . das is ja woahrhaftig der . . .
10 der Alte gewesen.

HELENE *(ist entsetzt und empört aufgesprungen. Zerknüllt
die Serviette und schleudert sie auf den Tisch. Bricht aus)*.
Sie sind . . . *(macht die Bewegung des Ausspeiens)*
pfui!!! *(Sie geht schnell ab.)*

15 KAHL *(die aus dem Bewußtsein, eine große Dummheit gemacht zu haben, entstandene Verlegenheit gewaltsam ab-
reißend)*. Ach woas! . . . Unsinn! 's iis ju zu tumm! –
iich gieh menner Wege. *(Er setzt seinen Hut auf und sagt,
indem er abgeht, ohne sich noch einmal umzuwenden.)* 'n
20 Obend!!!

FRAU KRAUSE *(ruft ihm nach)*. Koan Der'sch nich verden-
ken, Willem! *(Sie legt die Serviette zusammen und ruft
dabei.)* Miele! *(Miele kommt.)* Räum' ab! *(Für sich, aber
doch laut:)* Su ane Gans.

25 HOFFMANN *(etwas aufgebracht)*. Ich muß aber doch ehrlich sagen, Mama . . ! .

FRAU KRAUSE. Mahr Dich aus. *(Steht auf, schnell ab.)*

FRAU SPILLER. Die gnädige Frau – m – haben heut manches häusliche Ärgerniß gehabt – m –. Ich empfehle mich
30 ganz ergebenst. *(Sie steht auf und betet still, unter Augen-
aufschlag, dann ab.)*

(Miele und Eduard decken den Tisch ab, Hoffmann ist aufgestanden und kommt mit einem Zahnstocher im Mund nach dem Vordergrund, Loth folgt ihm.)

HOFFMANN. Ja, siehst Du, so sind die Weiber!

LOTH. Ich begreife gar nichts von alledem.

HOFFMANN. Ist auch nicht der Rede werth. – So etwas kommt wie bekannt in den allerfeinsten Familien vor, das darf Dich nicht abhalten ein paar Tage bei uns . . .

LOTH. Hätte gern Deine Frau kennen gelernt, warum läßt sie sich denn nicht blicken?

HOFFMANN *(die Spitze einer frischen Cigarre abschneidend)*. Du begreifst, in ihrem Zustand . . . die Frauen lassen nun 'mal nicht von der Eitelkeit. Komm! wollen uns draußen im Garten bischen ergehen. – Eduard! den Kaffee in die Laube.

EDUARD. Sehr wohl.

(Hoffmann und Loth ab durch den Wintergarten. Eduard ab durch die Mittelthür, hierauf Miele, ein Brett voll Geschirr tragend, ebenfalls ab durch die Mittelthür. Einige Augenblicke bleibt das Zimmer leer, dann erscheint

HELENE *(erregt, mit verweinten Augen, das Taschentuch vor den Mund haltend. Von der Mittelthür, durch welche sie eingetreten ist, macht sie hastig ein paar Schritte nach links und lauscht an der Thür von Hoffmann's Zimmer).* Oh! nicht fort! *(Da sie hier nichts vernimmt, fliegt sie zur Thür des Wintergartens hinüber, wo sie ebenfalls mit gespanntem Ausdruck einige Secunden lauscht. Bittend und mit gefalteten Händen, inbrünstig:)* Oh! nicht fort, geh' nicht fort!

Der Vorhang fällt.

Zweiter Akt.

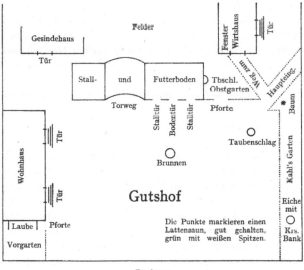

Zuschauer

Morgens gegen vier Uhr.
Im Wirthshaus sind die Fenster erleuchtet, ein grau-fahler
Morgenschein durch den Thorweg, der sich ganz allmälig im
5 *Laufe des Vorgangs zu einer dunklen Röthe entwickelt, die*
sich dann, eben so allmälig, in helles Tageslicht auflöst. Un-
ter dem Thorweg, auf der Erde sitzt Beibst (etwa 60jährig)
und dengelt seine Sense. Wie der Vorhang aufgeht, sieht man
kaum mehr als seine Silhouette, die gegen den grauen Mor-
10 *genhimmel absticht, vernimmt aber das eintönige, un-*

unterbrochene, regelmäßige Aufschlagen des Dengelham-
mers auf den Dengelambos. Dieses Geräusch bleibt während
einiger Minuten allein hörbar, hierauf die feierliche Morgen-
stille unterbrochen durch das Geschrei aus dem Wirthshaus
abziehender Gäste. Die Wirthshausthür fliegt krachend in's 5
Schloß. Die Lichter in den Fenstern verlöschen. Hundebellen
fern, Hähne krähen laut durcheinander. Auf dem Gange
vom Wirthshaus her wird eine dunkle Gestalt bemerklich,
dieselbe bewegt sich in Zickzacklinien dem Hofe zu; es ist der
Bauer Krause, welcher wie immer als letzter Gast das 10
Wirthshaus verlassen hat.

BAUER KRAUSE *(ist gegen den Gartenzaun getaumelt,*
klammert sich mit den Händen daran fest und brüllt mit
einer etwas näselnden, betrunkenen Stimme nach dem
Wirthshaus zurück). 's Gaartla iis mei–ne! . . . d'r 15
Kratsch'm iis mei–ne . . . du Gostwerthlops! Dohie
hä! *(Er macht sich, nachdem er noch einiges Unverständ-*
liche gemurmelt und gemurrt hat, vom Zaune los und
stürzt in den Hof, wo er glücklich den Stärzen eines Pflu-
ges zu fassen bekommt.) 's Gittla iis mei–ne. *(Er quas-* 20
selt halb singend.) Trink . . . ei . . . Briderla, trink
. . . ei . . . 'iderla, Branntw . . . . wwein . . .
'acht Kurasche. Dohie hä *(laut brüllend:)* bien iich nee
a hibscher Moan? . . . . Hoa iich nee a hibsch
Weibla dohie hä? . . . Hoa iich nee a poar hibsche 25
Madel?
HELENE *(kommt hastig aus dem Hause. Man sieht, sie hat*
an Kleidern nur umgenommen, soviel in aller Eile ihr
möglich gewesen war). Papa! . . . lieber Papa!! so
komm doch schon. *(Sie faßt ihn unterm Arm, versucht* 30

ihn zu stützen und in's Haus zu ziehen.) K–omm doch . . . nur . . . schn–ell in's Haus, komm doch n–ur schn–ell! Ach!

BAUER KRAUSE *(hat sich aufgerichtet, versucht gerade zu stehen, bringt mit einiger Mühe und unter Zuhilfenahme beider Hände einen ledernen, strotzenden Geldbeutel aus der Tasche seiner Hose. In dem ein wenig helleren Morgenlichte erkennt man die sehr schäbige Bekleidung des etwa 50jährigen Mannes, die um nichts besser ist, als die des allergeringsten Landarbeiters. Er ist im bloßen Kopf, sein graues, spärliches Haar ungekämmt und struppig. Das schmutzige Hemd steht bis auf den Nabel herab weit offen; an einem einzigen gestickten Hosenträger hängt die ehemals gelbe, jetzt schmutzig glänzende, an den Knöcheln zugebundene Lederhose; die nackten Füße stecken in einem Paar gestickter Schlafschuhe, deren Stickerei noch sehr neu zu sein scheint. Jacke und Weste trägt der Bauer nicht, die Hemdärmel sind nicht zugeknöpft. Nachdem er den Geldbeutel glücklich herausgebracht hat, setzt er ihn mit der Rechten mehrmals auf die Handfläche der linken Hand, so daß das Geld darin laut klimpert und klingt, dabei fixirt er seine Tochter mit lascivem Blicke).* Dohie hä! 's Gald iis m e i –neee! hä? Mech'st a poar Thoalerla?

HELENE. Ach, gr–oßer Gott! *(Sie versucht mehrmals vergebens, ihn mitzuziehen. Bei einem dieser Versuche umarmt er sie mit der Plumpheit eines Gorillas und macht einige unzüchtige Griffe. Helene stößt unterdrückte Hilfeschreie aus.)* Gl–eich läßt Du l–os! laß l–os! bitte, Papa, ach! *(Sie weint, schreit dann, plötzlich in äußerster Angst, Abscheu und Wuth.)* Thier, Schwein!! *(Sie stößt ihn von sich. Der Bauer fällt lang hin auf die Erde. Beibst kommt von sei-*

nem Platz unter dem Thorweg herbeigehinkt. Helene und
Beibst machen sich daran, den Bauer aufzuheben.)

BAUER KRAUSE *(lallt).* Tr–ink mei Bri'erla, tr– . . . .
(Der Bauer wird aufgehoben und stürzt, Beibst und Hele-
ne mit sich reißend, in das Haus. Einen Augenblick bleibt 5
die Bühne leer. Im Hause hört man Lärm, Thürenschla-
gen. In einem Fenster wird Licht, hierauf Beibst wieder
aus dem Hause. Er reißt an seiner Lederhose ein Schwefel-
holz an, um die kurze Pfeife, welche ihm fast nie aus dem
Munde kommt, damit in Brand zu stecken. Als er damit 10
noch beschäftigt ist, schleicht Kahl aus der Hausthüre. Er
ist in Strümpfen, hat sein Jaquet über dem linken Arm
hängen und trägt mit der linken Hand seine Schlafschuhe.
Mit der Rechten hält er seinen Hut, mit dem Munde seinen
Hemdkragen. Etwa bis in die Mitte des Hofes gelangt, 15
wendet er sich und sieht das Gesicht des Beibst auf sich ge-
richtet. Einen Augenblick scheint er unschlüssig, dann
bringt er Hut und Hemdkragen in der Linken unter, greift
in die Hosentasche und geht auf Beibst zu, dem er etwas in
die Hand drückt.) 20

KAHL. Do hot 'r an Thoaler . . . . oaber halt't Eure
Gusche! *(Er geht eiligst über den Hof und steigt über*
den Stachetenzaun rechts. Ab. Beibst hat mittels eines
neuen Streichholzes seine Pfeife angezündet, hinkt bis
unter den Thorweg, läßt sich nieder und nimmt seine 25
Dengelarbeit von Neuem auf. Wieder eine Zeit lang
nichts als das eintönige Aufschlagen des Dengelhammers
und das Ächzen des alten Mannes, von kurzen Flüchen
unterbrochen, wenn ihm etwas bei seiner Arbeit nicht
nach Wunsch geht. Es ist um ein Beträchtliches heller ge- 30
worden.)

LOTH *(tritt aus der Hausthür, steht still, dehnt sich, thut*
mehrere tiefe Athemzüge). H! . . h! . . Morgenluft!
(Er geht langsam nach dem Hintergrunde zu bis unter den
Thorweg. Zu Beibst:) Guten Morgen! Schon so früh
5 wach?

BEIBST *(mißtrauisch aufschielend, unfreundlich)*. 'Murja!
(Kleine Pause, hierauf Beibst, ohne Loth's Anwesenheit
weiter zu beachten, gleichsam im Zwiegespräch mit seiner
Sense, die er mehrmals aufgebracht hin- und herreißt.)
10 Krummes Oos! na, werd's glei?! ekch! Himmeldunner-
schlag ja! *(Er dengelt weiter.)*

LOTH *(hat sich zwischen die Stärzen eines Extirpators nie-*
dergelassen). Es giebt wohl Heuernte heut?

BEIBST *(grob)*. De Äsel gihn ei's Hä itzunder.

15 LOTH. Nun, Ihr dengelt doch aber die Sense . . . ?

BEIBST *(zur Sense)*. Ekch! tumme Dare.
(Kleine Pause, hierauf.)

LOTH. Wollt Ihr mir nicht sagen, wozu Ihr die Sense scharf
macht, wenn doch nicht Heuernte ist?

20 BEIBST. Na, – braucht ma ernt keene Sahnse zum Futter
macha?

LOTH. Ach so! Futter soll also geschnitten werden.

BEIBST. Woas d'n suste?

LOTH. Wird das alle Morgen geschnitten?

25 BEIBST. Na! – sool's Viech derhingern?

LOTH. Ihr müßt schon 'n bischen Nachsicht mit mir haben!
ich bin eben ein Städter; da kann man nicht Alles so genau wissen von der Landwirthschaft.

BEIBST. Die Staadter glee – ekch! – de Staadter, die wis-
30 sa doo glee oals besser wie de Mensche vum Lande,
hä?

LOTH. Das trifft bei mir nicht zu. – Könnt Ihr mir nicht vielleicht erklären, was das für ein Instrument ist? ich hab's wohl schon 'mal wo gesehen, aber der Name . . .

BEIBST. Doasjenigte uf dan Se sitza?! woas ma su soat Extrabater nennt ma doas.

LOTH. Richtig, ein Extirpator; wird der hier auch gebraucht?

BEIBST. Leeder Goott's, nee. – A läßt a verludern . . . a ganza Acker, reen verludern läßt a'n, d'r Pauer. A Oarmes mecht a Fleckla hoa'nn – ei insa Bärta wächst kee Getreide – oaber nee, lieberscht läßt a'n verludern! – nischt thit wachsa, ok blußig Seide und Quecka.

LOTH. Ja, die kriegt man schon damit heraus. Ich weiß, bei den Ikariern hatte man auch solche Extirpatoren[,] um das urbar gemachte Land vollends zu reinigen.

BEIBST. Wu sein denn die I . . . wie Se glei soa'n: I . . .

LOTH. Die Ikarier?! in Amerika.

BEIBST. Doo gibbts au schunn a sune Dinger?

LOTH. Ja freilich.

BEIBST. Woas iis denn doas fer a Vulk: die I . . . I . . .

LOTH. Die Ikarier?! – es ist gar kein besonderes Volk; es sind Leute aus allen Nationen, die sich zusammen gethan haben; sie besitzen in Amerika ein hübsches Stück Land, das sie gemeinsam bewirthschaften; alle Arbeit und allen Verdienst theilen sie gleichmäßig. Keiner ist arm, es giebt keine Armen unter ihnen.

BEIBST (*dessen Gesichtsausdruck ein wenig freundlicher geworden war, nimmt bei den letzten Worten Loth's wieder das alte mißtrauisch feindselige Gepräge an; ohne Loth*

weiter zu beachten, hat er sich neuerdings wieder ganz
seiner Arbeit zugewendet[,] und zwar mit den Eingangs-
worten). Oast vu enner Sahnse!

LOTH *(immer noch sitzend, betrachtet den Alten zuerst mit*
einem ruhigen Lächeln und blickt dann hinaus in den er-
wachenden Morgen. Durch den Thorweg erblickt man
weitgedehnte Kleefelder und Wiesenflächen, zwischen-
durch schlängelt sich ein Bach, dessen Lauf durch Erlen
und Weiden verrathen wird. Am Horizonte ein einzelner
Bergkegel. Allerorten haben die Lerchen eingesetzt, und
ihr ununterbrochenes Getriller schallt bald näher, bald
ferner her bis in den Gutshof herein. Jetzt erhebt sich Loth
mit den Worten). Man muß spazieren geh'n, der Morgen
ist z u prächtig. *(Er geht durch den Thorweg hinaus. –*
Man hört das Klappen von Holzpantinen. Jemand kommt
sehr schnell über die Bodentreppe des Stallgebäudes her-
unter: es ist Guste.)

GUSTE *(eine ziemlich dicke Magd: bloßes Mieder, nackte*
Arme und Waden, die bloßen Füße in Holzpantinen. Sie
trägt eine brennende Laterne). Guda Murja, Voater
Beibst.

BEIBST *(brummt).*

GUSTE *(blickt, die Augen mit der Hand beschattend, durch*
das Thor Loth nach). Woas iis denn doas fer Enner?

BEIBST *(verärgert).* Dar koan Battelleute zum Noarr'n
hoa'nn . . . dar leugt egelganz wie a Forr . . . vu
dan luuß der de Hucke vuul liega. *(Beibst steht auf.)*
Macht enk de Roawer zerecht[,] Madel!

GUSTE *(welche dabei war, ihre Waden am Brunnen abzu-*
waschen, ist damit fertig und sagt, bevor sie im Innern des
Kuhstalls verschwindet). Glei, glei! Voater Beibst.

LOTH *(kommt zurück, giebt Beibst Geld)*. Da ist 'ne Kleinigkeit. Geld kann man immer brauchen.

BEIBST *(aufthauend, wie umgewandelt, mit aufrichtiger
Gutmüthigkeit)*. Ju, ju! do ha'n Se au Recht . . . na
do dank ich au vielmools. – Se sein wull d'r Besuch
zum Schwiegersuhne? *(auf einmal sehr gesprächig:)*
Wissa Se: wenn Se, und Se wull'n da naus gihn auf a
Barch zu, wissa Se, do haal'n Se siich links, wissa Se,
zängst 'nunder links, rechts gibt's Risse. Mei Suhn
meente, 's käm do dervoone, meent' a, weil se zu
schlecht verzimmern thäten, meent' a, de Barchmoanne, 's soatzt zu wing Luhn, meent' a, und do giht's ok a
su: woas hust'de, woas koanst'de, ei a Gruba, verstiehn
Se. – Sahn Se! – doo! – immer links, rechts gibt's Le-
cher. Vurigtes Johr erscht iis a Putterweib wie se ging
und stoand iis se ei's Ardreich versunka, iich wiß nee
amool wie viel Kloaftern tief. Kee Mensch wußte wu-
hie – wie gesoa't, links, immer links, doo gihn Se sicher.
*(Ein Schuß fällt, Beibst wie electrisirt hinkt einige Schritt
in's Freie.)*

LOTH. Wer schießt denn da schon so frühe?

BEIBST. Na, war denn suste? – d'r Junge, dar meschante
Junge.

LOTH. Welcher Junge denn?

BEIBST. Na, Kahl-Willem – d'r Nupperschsuhn . . . na
woart' ok blußig due! ich hoa's gesahn, a schißt meiner
Gitte de Lärcha.

LOTH. Ihr hinkt ja.

BEIBST. Doas 's Goot erbarm' ja. *(Droht mit der Faust nach
dem Felde:)* Na woart Du! woart Du! . . .

LOTH. Was habt Ihr denn mit dem Bein gemacht?

BEIBST. Iich?

LOTH. Ja.

BEIBST. 's iis a su 'nei kumma.

LOTH. Habt Ihr Schmerzen?

BEIBST *(nach dem Bein greifend)*. 's zerrt a su, 's zerrt in-
famt.

LOTH. Habt Ihr keinen Arzt?

BEIBST. Wissa Se, – de Ducter, doas sein Oaffa, enner wie
d'r andere! – blußig inse Ducter, doas iis a ticht'er Moan.

LOTH. Hat er Ihnen was genützt?

BEIBST. Na – verlecht a klee Wing wull au oam Ende. A
hoot mer'sch Been geknet't: Sahn Se, a su geknutscht un
gchackt un . . . oaber nee! derwegen nich! – A
iis . . . na kurz un gutt a hoot mit'n oarma Mensche a
Mitleed: – A keeft'n de Med'zin und a verlangt nischt. A
kimmt zu jeder Zeet . . .

LOTH. Sie müssen sich das doch aber irgend wo zugezogen
haben?! haben Sie immer so gehinkt?

BEIBST. Nich die Oahnung!

LOTH. Dann verstehe ich nicht recht, es muß doch eine Ursache . . . .

BEIBST. Weeß iich's? *(Er droht wieder mit der Faust.)*
Woart ok Due! woart ok mit dem Geknackse.

KAHL *(erscheint innerhalb seines Gartens, er trägt in der
Rechten eine Flinte am Lauf, seine linke Hand ist ge-
schlossen. Ruft herüber).* Guten Morjen ooch, Herr
Ducter!

*(Loth geht quer durch den Hof auf ihn zu. Inzwischen hat
Guste sowie eine andere Magd mit Namen Liese je eine
Radwer zurecht gemacht, worauf Harke und Dunggabel
liegen. Damit fahren sie durch den Thorweg hinaus auf's*

Feld, an Beibst vorüber, der nach einigen grimmigen Bli-
cken und verstohlenen Zornesgesten zu Kahl hinüber sei-
ne Sense schultert und ihnen nachhumpelt. Beibst und die
Mägde ab.)

LOTH *(zu Kahl)*. Guten Morgen!

KAHL. Wull'n s' amol was Hibsches sahn? *(Er streckt den*
Arm mit der geschlossenen Hand über den Zaun.)

LOTH *(nähergehend)*. Was haben Sie denn da?

KAHL. Rootha Se! *(Er öffnet gleich darauf seine Hand.)*

LOTH. Waas?! – es ist also wirklich wahr: – Sie schießen
Lerchen! nun für diesen Unfug, Sie nichtsnutziger Bur-
sche, verdienten Sie geohrfeigt zu werden; verstehen Sie
mich! *(Er kehrt ihm den Rücken zu und geht quer durch*
den Hof zurück. Beibst und den Mägden nach. Ab.)

KAHL *(starrt Loth einige Augenblicke dumm verblüfft nach,*
dann ballt er die Faust verstohlen, sagt). Ducterluder!
(wendet sich und verschwindet rechts. – Während einiger
Augenblicke bleibt der Hof leer.)

(Helene, aus der Hausthür tretend, helles Sommerkleid,
großer Gartenhut. Sie blickt sich ringsum, thut dann eini-
ge Schritte auf den Thorweg zu, steht still und späht hin-
aus. Hierauf schlendert sie rechts durch den Hof und biegt
in den Weg ein, welcher nach dem Wirthshaus führt.
Große Packete von allerhand Thee hängen zum Trocknen
über dem Zaune: daran riecht sie im Vorübergehen. Sie
biegt auch Zweige von den Obstbäumen und betrachtet
die sehr niedrig hängenden, rothwangigen Äpfel. Als sie
bemerkt, daß Loth vom Wirthshaus her ihr entgegen
kommt, bemächtigt sich ihrer eine noch stärkere Unruhe,
so daß sie sich schließlich umwendet und vor Loth her in
den Hof zurückgeht. Hier bemerkt sie, daß der Tauben-

schlag noch geschlossen ist[,] und begiebt sich dorthin durch das kleine Zaunpförtchen des Obstgartens. Noch damit beschäftigt, die Leine, welche, vom Winde getrieben, irgendwo festgehakt ist, herunter zu ziehen, wird sie von Loth, der inzwischen herangekommen ist, angeredet.)

LOTH. Guten Morgen, Fräulein!

HELENE. Guten Morgen! – Der Wind hat die Schnur hinaufgejagt.

LOTH. Erlauben Sie! *(Geht ebenfalls durch das Pförtchen, bringt die Schnur herunter und zieht den Schlag auf. Die Tauben fliegen aus.)*

HELENE. Ich danke sehr.

LOTH *(ist durch das Pförtchen wieder herausgetreten, bleibt aber außerhalb des Zaunes und an diesen gelehnt stehen. Helene innerhalb desselben. Nach einer kleinen Pause).* Pflegen Sie immer so früh auf zu sein, Fräulein?

HELENE. Das eben – wollte ich Sie auch fragen.

LOTH. Ich –? nein! die erste Nacht in einem fremden Hause passirt es mir jedoch gewöhnlich.

HELENE. Wie . . . kommt das?

LOTH. Ich habe darüber noch nicht nachgedacht, es hat keinen Zweck.

HELENE. Ach, wieso denn nicht.

LOTH. Wenigstens keinen ersichtlichen, praktischen Zweck.

HELENE. Also wenn Sie irgend etwas thun oder denken, muß es einem praktischen Zweck dienen?

LOTH. Ganz recht! Übrigens . . .

HELENE. Das hätte ich von Ihnen nicht gedacht.

LOTH. Was, Fräulein?

HELENE. Genau das meinte die Stiefmutter, als sie mir vorgestern den Werther aus der Hand riß.

LOTH. Das ist ein dummes Buch.

HELENE. Sagen Sie das nicht.

LOTH. Das sage ich nochmal, Fräulein. Es ist ein Buch für Schwächlinge.

HELENE. Das – kann wohl möglich sein.

LOTH. Wie kommen Sie gerade auf dieses Buch? Ist es Ihnen denn verständlich?

HELENE. Ich hoffe, ich . . . zum Theil ganz gewiß. Es beruhigt so, darin zu lesen. *(Nach einer Pause:)* Wenn's ein dummes Buch ist, wie Sie sagen, könnten Sie mir etwas Besseres empfehlen?

LOTH. Le . . . lesen Sie . . . noa! . . . kennen Sie den Kampf um Rom von Dahn?

HELENE. Nein! das Buch werde ich mir aber nun kaufen. Dient es einem praktischen Zweck?

LOTH. Einem vernünftigen Zweck überhaupt. Es malt die Menschen nicht wie sie sind, sondern wie sie einmal werden sollen. Es wirkt vorbildlich.

HELENE *(mit Überzeugung)*. Das ist schön. *(Kleine Pause, dann:)* Vielleicht geben Sie mir Auskunft, man redet so viel von Zola und Ibsen in den Zeitungen: sind das große Dichter?

LOTH. Es sind gar keine Dichter, sondern nothwendige Übel, Fräulein. Ich bin ehrlich durstig und verlange von der Dichtkunst einen klaren, erfrischenden Trunk. – Ich bin nicht krank. Was Zola und Ibsen bieten, ist Medicin.

HELENE *(gleichsam unwillkürlich)*. Ach, dann wäre es doch vielleicht für mich etwas.

LOTH *(bisher theilweise, jetzt ausschließlich in den Anblick*

des thauigen Obstgartens vertieft). Es ist prächtig hier.
Sehen Sie, wie die Sonne über der Bergkuppe heraus-
kommt. – Viel Äpfel giebt es in Ihrem Garten: eine schöne Ernte.

5 HELENE. Drei Viertel davon wird auch dies Jahr wieder ge-
stohlen werden. Die Armuth hier herum ist zu groß.

LOTH. Sie glauben gar nicht, wie sehr ich das Land liebe!
Leider wächst mein Weizen zum größten Theile in der
Stadt. Aber nun will ich's Mal durchgenießen, das Land-
10 leben. Unsereiner hat so 'n bischen Sonne und Frische
mehr nöthig, als sonst Jemand.

HELENE *(seufzend).* Mehr nöthig, als . . . . inwiefern?

LOTH. Weil man in einem harten Kampfe steht, dessen Ende man nicht erleben kann.

15 HELENE. Stehen wir Anderen nicht in einem solchen
Kampfe?

LOTH. Nein.

HELENE. Aber – in einem Kampfe – stehen wir doch auch?!

LOTH. Natürlicherweise! aber der kann enden.

20 HELENE. Kann – da haben Sie Recht! – und wieso kann
der nicht endigen – der, den Sie kämpfen, Herr Loth?

LOTH. Ihr Kampf, das kann nur ein Kampf sein um persönliches Wohlergehen. Der Einzelne kann dies, so weit
menschenmöglich, erreichen. Mein Kampf ist ein Kampf
25 um das Glück Aller; sollte ich glücklich sein, so müßten
es erst alle anderen Menschen um mich herum sein; ich
müßte um mich herum weder Krankheit noch Armuth,
weder Knechtschaft noch Gemeinheit sehen. Ich könnte
mich so zu sagen nur als Letzter an die Tafel setzen.

30 HELENE *(mit Überzeugung).* Dann sind Sie ja ein
sehr, sehr guter Mensch!

LOTH *(ein wenig betreten)*. Verdienst ist weiter nicht dabei,
Fräulein, ich bin so veranlagt. Ich muß übrigens sagen,
daß mir der Kampf im Interesse des Fortschritts doch
große Befriedigung gewährt. Eine Art Glück, die ich
weit höher anschlage, als die, mit der sich der gemeine 5
Egoist zufrieden giebt.

HELENE. Es giebt wohl nur sehr wenige Menschen, die so
veranlagt sind. – Es muß ein Glück sein, mit solcher Ver-
anlagung geboren zu sein.

LOTH. Geboren wird man wohl auch nicht damit. Man 10
kommt dazu durch die Verkehrtheit unserer Verhältnisse, scheint mir; – nur muß man für das Verkehrte einen
Sinn haben: d a s ist es! Hat man den und leidet man so
bewußt unter den verkehrten Verhältnissen, dann wird
man mit Nothwendigkeit zu dem, was ich bin. 15

HELENE. Wenn ich Sie nur besser . . . . welche Verhältnisse nennen Sie zum Beispiel verkehrt?

LOTH. Es ist zum Beispiel verkehrt, wenn der im Schweiße
seines Angesichts Arbeitende hungert und der Faule im
Überflusse leben darf. – Es ist verkehrt, den Mord im 20
Frieden zu bestrafen und den Mord im Krieg zu belohn-
en. Es ist verkehrt, den Henker zu verachten und selbst,
wie es die Soldaten thun, mit einem Menschenab-
schlachtungs-Instrument, wie es der Degen oder der
Säbel ist an der Seite[,] stolz herumzulaufen. Den Hen- 25
ker, der das mit dem Beile thäte, würde man zweifels ohne steinigen. Verkehrt ist es dann, die Religion Christi,
diese Religion der Duldung, Vergebung und Liebe, als
Staatsreligion zu haben und dabei ganze Völker zu voll-
endeten Menschenschlächtern heranzubilden. Dies sind 30
einige unter Millionen, müssen Sie bedenken. Es kostet

Mühe, sich durch alle diese Verkehrtheiten hindurchzuringen; man muß früh anfangen.

HELENE. Wie sind Sie denn nur so auf Alles dies gekommen? Es ist so einfach[,] und doch kommt man nicht darauf.

LOTH. Ich mag wohl durch meinen Entwickelungsgang darauf gekommen sein, durch Gespräche mit Freunden, durch Lecture, durch eigenes Denken. Hinter die erste Verkehrtheit kam ich als kleiner Junge. Ich log mal sehr stark und bekam dafür die schrecklichsten Prügel von meinem Vater; kurz darauf fuhr ich mit ihm auf der Eisenbahn[,] und da merkte ich, daß mein Vater auch log und es für ganz selbstverständlich hielt, zu lügen; ich war damals fünf Jahre und mein Vater sagte dem Schaffner, ich sei noch nicht vier, der freien Fahrt halber, welche Kinder unter vier Jahren genießen. Dann sagte der Lehrer auch mal: Sei fleißig, halt Dich brav, dann wird es Dir auch unfehlbar gut gehen im Leben. Der Mann lehrte uns eine Verkehrtheit, dahinter kam ich sehr bald. Mein Vater war brav, ehrlich, durch und durch bieder, und ein Schuft, der noch jetzt als reicher Mann lebt, betrog ihn um seine paar Tausend Thaler. Bei eben diesem Schuft, der eine große Seifenfabrik besaß, mußte mein Vater sogar, durch die Noth getrieben, in Stellung treten.

HELENE. Unsereins wagt es gar nicht – wagt es gar nicht, so etwas für verkehrt anzusehen, höchstens ganz im Stillen empfindet man es. Man empfindet es oft sogar, und dann – wird einem ganz verzweifelt zu Muth.

LOTH. Ich erinnere mich einer Verkehrtheit, die mir ganz besonders klar als solche vor Augen trat. Bis dahin glaubte ich: der Mord werde unter allen Umständen als ein

Verbrechen bestraft, danach wurde mir jedoch klar, daß nur die milderen Formen des Mordes ungesetzlich sind.

HELENE. Wie wäre das wohl . . . .

LOTH. Mein Vater war Siedemeister, wir wohnten dicht an der Fabrik, unsere Fenster gingen auf den Fabrikhof. Da sah ich auch noch Manches außerdem: Es war ein Arbeiter, der fünf Jahr in der Fabrik gearbeitet hatte. Er fing an stark zu husten und abzumagern . . . ich weiß, wie uns mein Vater bei Tisch erzählte: Burmeister – so hieß der Arbeiter – bekommt die Lungenschwindsucht, wenn er noch länger bei der Seifenfabrikation bleibt. Der Doctor hat es ihm gesagt. – Der Mann hatte acht Kinder, und ausgemergelt wie er war, konnte er nirgends mehr Arbeit finden. Er mußte also in der Seifenfabrik bleiben, und der Prinzipal that sich viel darauf zu Gute, daß er ihn beibehielt. Er kam sich unbedingt äußerst human vor. – Eines Nachmittags, im August, es war eine furchtbare Hitze, da quälte er sich mit einer Karre Kalk über den Fabrikhof. – Ich sah gerade aus dem Fenster, da merke ich, wie er still steht – wieder still steht[,] und schließlich schlägt er lang auf die Steine. – Ich lief hinzu – mein Vater kam, andere Arbeiter kamen, aber er röchelte nur noch, und sein ganzer Mund war voll Blut. Ich half ihn ins Haus tragen. Ein Haufe kalkiger, nach allerhand Chemikalien stinkender Lumpen war er; bevor wir ihn im Hause hatten, war er schon gestorben.

HELENE. Ach, schrecklich ist das.

LOTH. Kaum acht Tage später zogen wir seine Frau aus dem Fluß, in den die verbrauchte Lauge unserer Fabrik abfloß. – Ja, Fräulein! wenn man dies Alles kennt, wie ich es jetzt kenne – glauben Sie mir! – dann läßt es Einem

keine Ruhe mehr. Ein einfaches Stückchen Seife, bei
dem sich in der Welt sonst Niemand etwas denkt, ja, ein
Paar rein gewaschene, gepflegte Hände schon können
Einen in die bitterste Laune versetzen.

HELENE. Ich hab auch mal so was gesehen. Hu! schrecklich
war das, schrecklich!

LOTH. Was?

HELENE. Der Sohn von einem Arbeitsmann wurde halb-
todt hier hereingetragen. Es ist nun . . . drei Jahre
vielleicht ist es her.

LOTH. War er verunglückt?

HELENE. Ja, drüben im Bärenstollen.

LOTH. Ein Bergmann also?

HELENE. Ja, die meisten jungen Leute hier herum gehen
auf die Grube. – Ein zweiter Sohn desselben Vaters war
auch Schlepper und ist auch verunglückt.

LOTH. Beide todt?

HELENE. Beide todt . . . .
. . . .
Einmal riß etwas an der Fahrkunst, das andere Mal waren es schlagende Wetter. – Der alte Beibst hat aber noch
einen dritten Sohn, der fährt auch seit Ostern ein.

LOTH. Was Sie sagen! – hat er Nichts dawider?

HELENE. Gar nichts, nein! Er ist nur jetzt noch weit mürrischer als früher. Haben Sie ihn nicht schon gesehen?

LOTH. Wieso ich?

HELENE. Er saß ja heut früh nebenan, unter der Durch-
fahrt.

LOTH. Ach! – wie? . . . . Er arbeitet hier im Hofe?

HELENE. Schon seit Jahren.

LOTH. Er hinkt?

HELENE. Ziemlich stark sogar.

LOTH. Soosoo – was ist ihm denn da passirt – mit dem Bein?

HELENE. Das ist 'ne heikle Geschichte. Sie kennen doch den Herrn Kahl? . . . . da muß ich Ihnen aber ganz nahe kommen. Sein Vater, müssen Sie wissen, war genau so ein Jagdnarr wie er. Er schoß hinter den Handwerksburschen her, die auf den Hof kamen, wenn auch nur in die Luft, um ihnen Schrecken einzujagen. Er war auch sehr jähzornig, wissen Sie, wenn er getrunken hatte erst recht. Nu hat wohl der Beibst mal gemuckscht – er muckscht gern, wissen Sie – und da hat der Bauer die Flinte zu packen gekriegt und ihm eine Ladung gegeben. Beibst, wissen Sie, war nämlich früher beim Nachbar Kahl für Kutscher.

LOTH. Frevel über Frevel, wohin man hört.

HELENE *(immer unsicherer und erregter)*. Ich hab auch schon manchmal so bei mir gedacht . . . . sie haben mir Alle mitunter schon so furchtbar leid gethan –: der alte Beibst und . . . . . . Wenn die Bauern so roh und dumm sind wie der – wie der Streckmann, der – läßt seine Knechte hungern und füttert die Hunde mit Conditorzeug. Hier bin ich wie dumm, seit ich aus der Pension zurück bin . . . . Ich hab auch mein Päckchen! – aber ich rede ja wohl Unsinn – es interessirt Sie ja gar nicht – Sie lachen mich im Stillen blos aus.

LOTH. Aber Fräulein, wie können Sie nur . . . . weshalb sollte ich Sie denn . . . .

HELENE. Nun, etwa nicht? Sie denken doch: die ist auch nicht besser wie die Anderen hier.

LOTH. Ich denke von Niemand schlecht, Fräulein!

HELENE. Das machen Sie mir nicht weiß . . . . nein, nein!

LOTH. Aber Fräulein! wann hätte ich Ihnen Veranlassung . . .

HELENE *(nahe am Weinen)*. Ach, reden Sie doch nicht! Sie verachten uns, verlassen Sie sich d'rauf: – Sie müssen uns ja doch verachten, *(weinerlich)* den Schwager mit, mich mit. Mich vor allen Dingen und dazu, da – zu haben Sie wahr . . . wahrhaftig auch Grund. *(Sie wendet Loth schnell den Rücken und geht, ihrer Bewegung nicht mehr Herr, durch den Obstgarten nach dem Hintergrunde zu ab. Loth tritt durch das Pförtchen und folgt ihr langsam.)*

FRAU KRAUSE *(in überladener Morgentoilette, puterroth im Gesicht, aus der Hausthür, schreit)*. Doas Loaster vu Froovulk! Marie! Ma–rie!! unter men'n Dache! weg muuß doas Froovulk! *(Sie rennt über den Hof und verschwindet in der Stallthür. Frau Spiller, mit Häkelarbeit, erscheint in der Hausthür. Im Stalle hört man Schimpfen und Heulen.)*

FRAU KRAUSE *(die heulende Magd vor sich her treibend, aus dem Stall)*. Du Hurenfroovulk Du! *(die Magd heult stärker)* uuf der Stelle 'naus! Sich Deine sieba Sacha z'samma und dann, 'naus! *(Helene, mit rothen Augen, kommt durch den Thorweg, bemerkt die Scene und steht abwartend still.)*

DIE MAGD *(entdeckt Frau Spiller, wirft Schemel und Milchgelte weg und geht wüthend auf sie zu)*. Doas biin iich Ihn'n schuldig! doas war iich Ihn'n eitränka!! *(Sie rennt schluchzend davon, die Bodentreppe hinauf. Ab.)*

HELENE *(zu Frau Krause tretend)*. Was hat sie denn gemacht?

FRAU KRAUSE *(grob)*. Gieht's Diich oan, Goans?

HELENE *(heftig, fast weinend)*. Ja, mich geht's an.

FRAU SPILLER *(schnell hinzutretend)*. Mein gnädiges Fräu- 5
  lein, so etwas ist nicht für das Ohr eines jungen Mäd-
  chens wie . . .

FRAU KRAUSE. Worum ok ne goar, Spillern! die iis au ne
  vu Marzepane: Mit'n Grußknecht zusoamma gelah'n
  hot se ei en Bette. Do wißt de's. 10

HELENE *(in befehlendem Tone)*. Die Magd wird aber doch
  bleiben.

FRAU KRAUSE. Weibsstück!!

HELENE. Gut! dann will ich dem Vater erzählen, daß Du
  mit Kahl Wilhelm die Nächte ebenso verbringst. 15

FRAU KRAUSE *(schlägt ihr eine Maulschelle)*. Do hust' an'
  Denkzettel!

HELENE *(todtbleich, aber noch fester)*. Die Magd bleibt aber
  doch, sonst . . . . sonst bring ich's herum! Mit Kahl
  Wilhelm, Du! Dein Vetter . . . . mein Bräut- 20
  'jam . . . . Ich bring's herum.

FRAU KRAUSE *(mit wankender Fassung)*. Wer koan doas
  soa'n?

HELENE. Ich! denn ich hab ihn heut Morgen aus Deinem
  Schlafzimmer . . . . . *(Schnell ab in's Haus.)* 25
  *(Frau Krause, taumelnd, nahe einer Ohnmacht. Frau
  Spiller mit Riechfläschchen zu ihr.)*

FRAU SPILLER. Gnädige Frau, gnädige Frau!

FRAU KRAUSE. Sp . . . . illern, die Moa'd sss
  . . . . sool dooblei'n. 30
  Vorhang fällt schnell.

Dritter Akt.

Zeit: wenige Minuten nach dem Vorfall zwischen Helene und ihrer Stiefmutter im Hofe. Der Schauplatz ist der des ersten Vorgangs.

(Dr. Schimmelpfennig sitzt, ein Recept schreibend, Schlapphut, Zwirnhandschuhe und Stock vor sich auf der Tischplatte, an dem Tisch links im Vordergrunde. Er ist von Gestalt klein und gedrungen, hat schwarzes Wollhaar und einen ziemlich starken Schnurrbart. Schwarzer Rock im Schnitt der Jägerschen Normalröcke. Die Kleidung im Ganzen solid, aber nicht elegant. Hat die Gewohnheit, fast ununterbrochen seinen Schnurrbart zu streichen oder zu drehen, um so stärker, je erregter er innerlich wird. Sein Gesichtsausdruck, wenn er mit Hoffmann redet, ist gezwungen ruhig, ein Zug von Sarkasmus liegt um seine Mundwinkel. Seine Bewegungen sind lebhaft, fest und eckig, durchaus natürlich. Hoffmann, in seidenem Schlafrock und Pantoffeln, geht umher. Der Tisch rechts im Hintergrunde ist zum Frühstück hergerichtet. Feines Porzellan. Gebäck, Rumcaraffe etc.)

HOFFMANN. Herr Doctor, sind Sie mit dem Aussehen meiner Frau zufrieden?

DR. SCHIMMELPFENNIG. Sie sieht ja ganz gut aus, warum nicht.

HOFFMANN. Denken Sie, daß Alles gut vorübergehen wird?

DR. SCHIMMELPFENNIG. Ich hoffe.

HOFFMANN *(nach einer Pause zögernd)*. Herr Doctor, ich habe mir vorgenommen – schon seit Wochen – Sie, sobald ich hierher käme, in einer ganz bestimmten Sache um Ihren Rath zu bitten.

DR. SCHIMMELPFENNIG *(der bis jetzt unter dem Schreiben geantwortet hat, legt die Feder beiseite, steht auf und übergiebt Hoffmann das geschriebene Recept).* So! . . . das lassen Sie wohl bald machen; *(indem er Hut, Handschuhe und Stock nimmt)* über Kopfschmerz klagt Ihre Frau, – *(in seinen Hut blickend, geschäftsmäßig)* ehe ich es vergesse: suchen Sie doch Ihrer Frau begreiflich zu machen, daß sie für das kommende Lebewesen einigermaßen verantwortlich ist, ich habe ihr bereits selbst einiges gesagt – über die Folgen des Schnürens.

HOFFMANN. Ganz gewiß, Herr Doctor . . . ich will ganz gewiß mein Möglichstes thun, ihr . . .

DR. SCHIMMELPFENNIG *(sich ein wenig linkisch verbeugend).* Empfehle mich *(geht, bleibt wieder stehen),* ach so! . . . Sie wollten ja meinen Rath hören *(er blickt Hoffmann kalt an).*

HOFFMANN. Ja, wenn Sie noch einen Augenblick Zeit hätten . . . *(nicht ohne Affectirtheit:)* Sie kennen das entsetzliche Ende meines ersten Jungen. Sie haben es ja ganz aus der Nähe gesehen. Wie weit i c h damals war, wissen Sie ja wohl auch. – Man glaubt es nicht[,] dennoch: die Zeit mildert! . . . . Schließlich habe ich sogar noch Grund zur Dankbarkeit, mein sehnlichster Wunsch soll, wie es scheint, erfüllt werden. Sie werden begreifen, daß ich Alles thun muß . . . es hat mich schlaflose Nächte genug gekostet und doch weiß ich noch nicht, noch immer nicht, wie ich es anstellen soll, um das jetzt noch ungeborene Geschöpf vor dem furchtbaren Schicksale seines Brüderchens zu bewahren. Und das ist es, weshalb ich Sie . . . .

DR. SCHIMMELPFENNIG *(trocken und geschäftsmäßig)*. Von seiner Mutter trennen: Grundbedingung einer gedeihlichen Entwickelung.

HOFFMANN. Also doch?! – meinen Sie, völlig trennen? . . . soll es auch nicht in demselben Hause mit ihr . . . ?

DR. SCHIMMELPFENNIG. Nein, wenn es Ihnen ernst ist um die Erhaltung Ihres Kindes, dann nicht. Ihr Vermögen gestattet Ihnen ja in dieser Beziehung die freieste Bewegung.

HOFFMANN. Gott sei Dank, ja! Ich habe auch schon in der Nähe von Hirschberg eine Villa mit sehr großem Park angekauft. Nur wollte ich auch meine Frau . . .

DR. SCHIMMELPFENNIG *(dreht seinen Bart und starrt auf die Erde. Unter Nachdenken)*. Kaufen Sie doch Ihrer Frau irgend wo anders eine Villa . . .

HOFFMANN *(zuckt die Achseln)*.

DR. SCHIMMELPFENNIG *(wie vorher)*. Könnten Sie nicht – Ihre Schwägerin für die Aufgabe, dieses Kind zu erziehen, interessiren?

HOFFMANN. Wenn Sie wüßten, Herr Doctor, was für Hindernisse . . . außerdem: ein unerfahrenes, junges Ding . . . Mutter ist doch Mutter.

DR. SCHIMMELPFENNIG. Sie wissen meine Meinung. Empfehle mich.

HOFFMANN *(mit Überfreundlichkeit um ihn herum complimentirend)*. Empfehle mich ebenfalls! ich bin Ihnen äußerst dankbar . . .

(Beide ab durch die Mittelthür.)

(Helene, das Taschentuch vor den Mund gepreßt, schluch-
zend, außer sich, kommt herein und läßt sich auf das So-
pha links vorn hinfallen. Nach einigen Augenblicken tritt
Hoffmann, Zeitungsblätter in den Händen haltend, aber-
mals ein.)

HOFFMANN. Was ist denn d a s –? sag' 'mal, Schwägerin!
soll denn das noch lange so fort gehen? – Seit ich hier bin,
vergeht nicht ein Tag, an dem ich Dich nicht weinen sehe.

HELENE. Ach! – was weißt Du!? – wenn Du überhaupt
Sinn für so was hätt'st, dann würd'st Du Dich vielmehr
wundern, wenn ich 'mal nicht weinte.

HOFFMANN. – Das leuchtet mir nicht ein, Schwägerin!

HELENE. Mir um so mehr!

HOFFMANN. . . . . Es muß doch wieder
was passirt sein, hör' 'mal!

HELENE *(springt auf, stampft mit dem Fuße)*. Pfui!
Pfui . . . und ich mag's nicht mehr leiden . . . das
hört auf! ich lasse mir das nicht mehr bieten! ich sehe
nicht ein warum . . . ich . . . *(in Weinen ersti-*
ckend).

HOFFMANN. Willst Du mir denn nicht wenigstens sagen,
worum sich's handelt, damit . . . .

HELENE *(auf's Neue heftig ausbrechend)*. Alles ist mir egal!
schlimmer kann's nicht mehr kommen: – einen Trun-
kenbold von Vater hat man, ein Thier – vor dem
die . . . . die eigene Tochter nicht sicher ist. – Eine
ehebrecherische Stiefmutter, die mich an ihren Galan
verkuppeln möchte . . Dieses ganze Dasein überhaupt. – Nein –! ich sehe nicht ein, wer mich zwingen
kann, durchaus schlecht zu werden. Ich gehe fort! ich
renne fort – und wenn Ihr mich nicht losläßt,

dann . . . . Strick, Messer, Revolver! . . . . mir egal! – ich will nicht auch zum Branntwein greifen wie meine Schwester.

HOFFMANN *(erschrocken, packt sie am Arm).* Lene!!! . . . . ich sag' Dir, still! . . . davon still!

HELENE. Mir egal! . . . mir ganz egal! – man ist . . . man muß sich schämen bis in die Seele 'nein. – Man möchte was wissen, was sein, was sein können – und was ist man nu?

HOFFMANN *(der ihren Arm noch nicht wieder losgelassen, fängt an, das Mädchen allmälig nach dem Sopha hinzudrängen. Im Tone seiner Stimme liegt nun plötzlich eine weichliche, übertriebene, gleichsam vibrirende Milde).* Lenchen –! ich weiß ja recht gut, daß Du hier Manches auszustehen hast. Sei nur ruhig . . . . ! brauchst es mir gar nicht zu sagen. *(Er legt die Rechte liebkosend auf ihre Schulter, bringt sein Gesicht nahe dem ihren.)* Ich kann Dich gar nicht weinen sehen. Wahrhaftig! 's thut mir weh. Sieh doch nur aber die Verhältnisse nicht schwärzer, als sie sind –; und dann: – hast Du vergessen, – daß wir Beide, – Du und ich – so zu sagen in der gleichen Lage sind? – Ich bin in diese Bauernatmosphäre hinein gekommen . . . . passe ich hinein? Genau so wenig wie Du hoffentlich.

HELENE *(immer noch weinend).* Hätte mein – gutes – M – Muttelchen das geahnt – als sie . . . . als sie bestimmte – daß ich in Herrnhut – erzogen . . . . erzogen werden sollte. Hätte sie – mich lieber . . . mich lieber zu Hause gelassen, dann hätte ich . . . hätte ich wenigstens – nichts Anderes kennen gelernt, wäre in dem Sumpf hier auf . . . . aufgewachsen. – Aber so . . .

HOFFMANN *(hat Helene sanft auf das Sopha gezwungen und sitzt nun, eng an sie gedrängt, neben ihr. Immer auffälliger verräth sich in seinen Tröstungen das sinnliche Element).* Lenchen –! sieh mich an, laß das gut sein, tröste Dich mit mir. – Ich brauche Dir von Deiner Schwester nicht zu sprechen. *(Heiß und mit Innigkeit, indem er sie enger umschlingt:)* Ja, wäre sie wie Du bist! . . . . . . So aber . . . sag selbst: Was kann sie mir sein? – Wo lebt ein Mann, Lenchen, ein gebildeter Mann, *(leiser)* dessen Frau von einer so unglückseligen Leidenschaft befallen ist? – Man darf es gar nicht laut sagen: eine Frau – und – Branntwein . . . . Nun, sprich, bin ich glücklicher? . . . . Denk an mein Fritzchen! – nun? . . . . . bin ich am Ende besser dran, wie? . . . . *(Immer leidenschaftlicher:)* Siehst Du: so hat's das Schicksal schließlich noch gut gemeint. Es hat uns zu einander gebracht. – Wir gehören für einander! Wir sind zu Freunden voraus bestimmt, mit unsren gleichen Leiden. Nicht, Lenchen? *(Er umschlingt sie ganz. Sie läßt es geschehen, aber mit einem Ausdruck, der besagt, daß sie sich zum Dulden zwingt. Sie ist still geworden und scheint mit zitternder Spannung etwas zu erwarten, irgend eine Gewißheit, eine Enthüllung, die unfehlbar herankommt.)*

HOFFMANN *(zärtlich).* Du solltest meinem Vorschlag folgen, solltest dies Haus verlassen, bei uns wohnen. – Das Kindchen[,] das kommt[,] braucht eine Mutter. – Komm! sei Du ihm das *(leidenschaftlich gerührt, sentimental),* sonst hat es eben keine Mutter. Und dann: – bring' ein wenig, nur ein ganz, ganz klein wenig Licht in mein Leben. Thuu's! – thu –'s! *(Er will seinen Kopf an ihre Brust lehnen. Sie springt auf, empört. In ihren Mienen verräth sich Verachtung, Überraschung, Ekel, Haß.)*

HELENE. Schwager! Du bist, Du bist . . . . . jetzt kenn' ich Dich durch und durch. Bisher hab ich's nur so dunkel gefühlt. Jetzt weiß ich's ganz gewiß.

HOFFMANN *(überrascht, fassungslos).* Was . . . ? Helene . . . . . einzig, wirklich.

HELENE. Jetzt weiß ich ganz gewiß, daß Du nicht um ein Haar besser bist . . . . was denn! schlechter bist Du, der Schlecht'ste von Allen hier!

HOFFMANN *(steht auf; mit angenommener Kälte).* Dein Betragen heut ist sehr eigenthümlich, weißt Du!

HELENE *(tritt nahe zu ihm).* Du gehst doch nur auf das eine Ziel los. *(Halblaut in sein Ohr:)* Aber Du hast ganz andere Waffen als Vater und Stiefmutter oder der ehrenfeste Herr Bräutigam, ganz andere. Gegen Dich gehalten sind sie Lämmer, Alle mit 'nander. Jetzt, jetzt auf einmal, jetzt eben ist mir das sonnenklar geworden.

HOFFMANN *(in erheuchelter Entrüstung).* Lene! Du bist . . . . . Du bist nicht bei Trost, das ist ja heller Wahn . . . . *(Er unterbricht sich, schlägt sich vor den Kopf.)* Gott, wie wird mir denn auf einmal, natürlich! . . . . Du hast . . . . es ist freilich noch sehr früh am Tage, aber ich wette, Du hast . . . . Helene, Du hast heut früh schon mit Alfred Loth geredet.

HELENE. Weshalb sollte ich denn nicht mit ihm geredet haben? Es ist ein Mann, vor dem wir uns Alle verstecken müßten vor Scham, wenn es mit rechten Dingen zuginge.

HOFFMANN. Also wirklich! . . . . ach sooo! . . . .

na jaaa! . . . . allerdings . . . . . da darf ich mich
weiter nicht wundern. – So, so, so, hat also die Gelegenheit benützt, über seinen Wohlthäter 'n bischen herzu-
ziehen. Man sollte immer auf dergleichen gefaßt sein,
freilich!

HELENE. Schwager! das ist nun geradezu gemein.

HOFFMANN. Finde ich beinah auch!

HELENE. Kein Sterbenswort, nicht ein Sterbenswort hat er
gesagt über Dich.

HOFFMANN *(ohne darauf einzugehen)*. Wenn die Sachen
so liegen, dann ist es geradezu meine Pflicht, ich sage,
meine Pflicht, als Verwandter, einem so unerfahrenen
Mädchen gegenüber wie Du bist . . . . .

HELENE. Unerfahrenes Mädchen –? wie Du mir vor-
kommst!

HOFFMANN *(aufgebracht)*. Auf meine Verantwortung ist
Loth hier in's Haus gekommen. Nun mußt Du wissen: –
er ist – gelinde gesprochen – ein höchst ge–fähr–licher
Schwärmer, dieser Herr Loth.

HELENE. Daß Du das von Herrn Loth sagst, hat für mich
so etwas – Verkehrtes – etwas lächerlich Verkehrtes.

HOFFMANN. Ein Schwärmer, der die Gabe hat, nicht nur
Weibern, sondern auch vernünftigen Leuten die
Köpfe zu verwirren.

HELENE. Siehst Du: wieder so eine Verkehrtheit! Mir ist
es nach den wenigen Worten, die ich mit Herrn Loth geredet habe, so wohlthuend klar im Kopfe . . . .

HOFFMANN *(im Tone eines Verweises)*. Was ich Dir sage,
ist durchaus nichts Verkehrtes.

HELENE. Man muß für das Verkehrte einen Sinn haben,
und den hast Du eben nicht.

HOFFMANN *(wie vorher)*. Davon ist jetzt nicht die Rede, ich erkläre Dir nochmals, daß ich Dir nichts Verkehrtes sage, sondern etwas, was ich Dich bitten muß, als thatsächlich wahr hinzunehmen . . . . Ich habe es an mir erfahren: er benebelt Einem den Kopf, und dann schwärmt man von Völkerverbrüderung, von Freiheit und Gleichheit, setzt sich über Sitte und Moral hinweg . . . . wir wären damals um dieser Hirngespinste willen – weiß der Himmel – über die Leichen unserer Eltern hinweggeschritten, um zum Ziele zu gelangen. Und er, sage ich Dir, würde erforderlichen Falls noch heute dasselbe thun.

HELENE. Wie viele Eltern mögen wohl alljährlich über die Leichen ihrer Kinder schreiten, ohne daß Jemand . . . . .

HOFFMANN *(ihr in die Rede fallend)*. Das ist Unsinn! da hört Alles auf! . . . . . Ich sage Dir, nimm Dich vor ihm in Acht, in jeder . . . . ich sage ganz ausdrücklich in j e d e r Beziehung. – Von moralischen Skrupeln ist da keine Spur. –

HELENE. Ne, wie verkehrt dies nun wieder ist. Glaub mir, Schwager, fängt man erst mal an, d'rauf zu achten . . . . . es ist so schrecklich interessant . . . . .

HOFFMANN. Sag' doch, was Du willst, gewarnt bist Du nun. Ich will Dir nur noch ganz im Vertrauen mittheilen: ein Haar, und ich wäre damals durch ihn und mit ihm greulich in die Tinte gerathen.

HELENE. Wenn dieser Mensch so gefährlich ist, warum freutest Du Dich denn gestern so aufrichtig, als . . . . .

HOFFMANN. Gott ja, er ist eben ein Jugendbekannter!

Weißt Du denn, ob nicht ganz bestimmte Gründe vorla-
gen . . . .

HELENE. Gründe? wie denn . . . . . ?

HOFFMANN. Nur so. – Käme er allerdings heut und wüßte
ich, was ich jetzt weiß –

HELENE. Was weißt Du denn nur? Ich sagte Dir doch
bereits, er hat kein Sterbenswort über Dich verlauten
lassen.

HOFFMANN. – Verlaß Dich d'rauf! Ich hätte mir's zweimal
überlegt und mich wahrscheinlich sehr in Acht genommen, ihn hierzubehalten. Loth ist und bleibt 'n Mensch,
dessen Umgang compromittirt. Die Behörden haben ihn
im Auge.

HELENE. Ja, hat er denn ein Verbrechen begangen?

HOFFMANN. Sprechen wir lieber darüber nicht. Laß es Dir
genug sein, Schwägerin, wenn ich Dir die Versicherung
gebe: mit Ansichten, wie er sie hat, in der Welt umher-
zulaufen, ist heutzutage weit schlimmer und vor Allem
weit gefährlicher, als Stehlen.

HELENE. Ich will's mir merken. – Nun aber – Schwager!
hörst Du? Frag mich nicht – wie ich nach Deinen Reden
über Herrn Loth noch von D i r denke – Hörst Du?

HOFFMANN (cynisch kalt). Denkst Du denn wirklich, daß
mir so ganz besonders viel daran liegt, das zu wissen?
(Er drückt den Klingelknopf.) Übrigens höre ich ihn da
eben hereinkommen.

(Loth tritt ein.)

HOFFMANN. Nun – ? gut geschlafen, alter Freund?

LOTH. Gut, aber nicht lange. Sag doch mal: ich sah da vorhin Jemand aus dem Haus kommen, einen Herrn.

HOFFMANN. Vermuthlich der Doctor, der soeben hier war.

Ich erzählte Dir ja . . . . dieser eigenthümliche Mischmasch von Härte und Sentimentalität. *(Helene verhandelt mit Eduard, der eben eingetreten ist. Er geht ab und servirt kurz darauf Thee und Kaffee.)*

5 LOTH. Dieser Mischmasch, wie Du Dich ausdrückst, sah nämlich einem alten Universitätsfreunde von mir furchtbar ähnlich – ich hätte schwören können, daß er es sei – einem gewissen Schimmelpfennig.

HOFFMANN *(sich am Frühstückstisch niederlassend)*. Nu ja,
10 ganz recht: Schimmelpfennig!

LOTH. Ganz recht? Was?

HOFFMANN. Er heißt in der That Schimmelpfennig.

LOTH. Wer? der Doctor hier?

HOFFMANN. Du sagtest es doch eben. Ja, der Doctor.

15 LOTH. Dann . . . . das ist aber auch wirklich wunderlich! Unbedingt ist er's dann.

HOFFMANN. Siehst Du wohl, schöne Seelen finden sich zu Wasser und zu Lande. Du nimmst mir's nicht übel, wenn ich anfange, wir wollten uns nämlich gerade zum
20 Frühstück setzen. Bitte, nimm Platz! Du hast doch wohl nicht schon irgend wo gefrühstückt?

LOTH. Nein!

HOFFMANN. Nun dann, also. *(Er rückt, selbst sitzend, Loth einen Stuhl zurecht. Hierauf zu Eduard, der mit Thee und*
25 *Kaffee kommt:)* Ä! wird . . . . e . . . meine Frau Schwiegermama nicht kommen?

EDUARD. Die gnädige Frau und Frau Spiller werden auf ihrem Zimmer frühstücken.

HOFFMANN. Das ist aber doch noch nie . . . .

30 HELENE *(das Service zurechtrückend)*. Laß nur! es hat seinen Grund.

HOFFMANN. Ach so! . . . .
   Loth! lang zu . . . . ein Ei? Thee?
LOTH. Könnte ich vielleicht lieber ein Glas Milch bekommen?
HOFFMANN. Mit dem größten Vergnügen.
HELENE. Eduard! Miele soll frisch einmelken.
HOFFMANN *(schält ein Ei ab)*. Milch – brrr! mich schüttelt's. *(Salz und Pfeffer nehmend:)* Sag mal, Loth, was führt Dich eigentlich in unsre Gegend? Ich hab bisher ganz vergessen, Dich danach zu fragen.
LOTH *(bestreicht eine Semmel mit Butter)*. Ich möchte die hiesigen Verhältnisse studiren.
HOFFMANN *(mit einem Aufblick)*. Bitte . . . . ? . . . . was für Verhältnisse?
LOTH. Präcise gesprochen: Ich will die Lage der hiesigen Bergleute studiren.
HOFFMANN. Ach, die ist im Allgemeinen doch eine sehr gute.
LOTH. Glaubst Du? – Das wäre ja übrigens recht schön . . . . Doch eh' ich's vergesse: Du mußt mir dabei einen Dienst leisten. Du kannst Dich um die Volkswirthschaft sehr verdient machen, wenn . . . . .
HOFFMANN. Ich? i! wieso ich?
LOTH. Nun, Du hast doch den Verschleiß der hiesigen Gruben?
HOFFMANN. Ja! und was dann?
LOTH. Dann wird es Dir auch ein Leichtes sein, mir die Erlaubniß zur Besichtigung der Gruben auszuwirken. Das heißt: ich will mindestens vier Wochen lang täglich einfahren, damit ich den Betrieb einigermaßen kennen lerne.

HOFFMANN *(leichthin)*. Was Du da unten zu sehen be-
kommst, willst Du dann wohl schildern?

LOTH. Ja. Meine Arbeit soll vorzugsweise eine descriptive
werden.

5 HOFFMANN. Das thut mir nun wirklich leid, mit der Sache
habe ich gar nichts zu thun. – Du willst blos über die
Bergleute schreiben, wie?

LOTH. Aus dieser Frage hört man, daß Du kein Volkswirth-
schaftler bist.

10 HOFFMANN *(in seinem Dünkel gekränkt)*. Bitte s e h r um
Entschuldigung! Du wirst mir wohl zutrauen . . . . .
warum? ich sehe nicht ein, wieso man diese Frage nicht
thun kann? – und schließlich: es wäre kein Wun-
der . . . . Alles kann man nicht wissen.

15 LOTH. Na, beruhige Dich nur, die Sache ist einfach d i e:
wenn ich die Lage der hiesigen Bergarbeiter studiren
will, so ist es unumgänglich, auch alle die Verhältnisse,
welche diese Lage bedingen, zu berühren.

HOFFMANN. In solchen Schriften wird mitunter schauder-
20 haft übertrieben.

LOTH. Von diesem Fehler gedenke ich mich frei zu halten.

HOFFMANN. Das wird sehr löblich sein. *(Er hat bereits
mehrmals und jetzt wiederum mit einem kurzen und
prüfenden Blick Helenen gestreift, die mit naiver Andacht*
25 *an Loth's Lippen hängt, und fährt nun fort.)* Doch . . . .
es ist urkomisch, wie Einem so was ganz urplötzlich in
den Sinn kommt. Wie so etwas im Gehirn nur vor sich
gehen mag?

LOTH. Was ist Dir denn auf einmal in den Sinn gekom-
30 men?

HOFFMANN. Es betrifft Dich. – Ich dachte an Deine

Ver . . . . . nein, es ist am Ende tactlos, in Gegenwart von einer jungen Dame von Deinen Herzensgeheimnissen zu reden.

HELENE. Ja, dann will ich doch lieber . . . .

LOTH. Bitte sehr, Fräulein! . . . . . bleiben Sie ruhig, meinetwegen wenigstens – ich merke längst, worauf er hinaus will. Ist auch durchaus nichts Gefährliches. *(Zu Hoffmann:)* Meine Verlobung, nicht wahr?

HOFFMANN. Wenn Du selbst darauf kommst, ja! – ich dachte in der That an Deine Verlobung mit Anna Faber.

LOTH. Die ging auseinander – naturgemäß – als ich damals in's Gefängniß mußte.

HOFFMANN. Das war aber nicht hübsch von Deiner . . . . . .

LOTH. Es war jedenfalls ehrlich von ihr! Ihr Absagebrief enthielt ihr wahres Gesicht; hätte sie mir dies Gesicht früher gezeigt, dann hätte sie sich selbst und auch mir Manches ersparen können.

HOFFMANN. Und seither hat Dein Herz nicht irgendwo festgehakt?

LOTH. Nein!

HOFFMANN. Natürlich! Nun: Büchse in's Korn geworfen – heirathen verschworen! verschworen wie den Alkohol! Was? Übrigens chacun à son goût.

LOTH. Mein Geschmack ist es eben nicht, aber vielleicht mein Schicksal. Auch habe ich Dir, soviel ich weiß, bereits einmal gesagt, daß ich in Bezug auf das Heirathen nichts verschworen habe; was ich fürchte, ist: daß es keine Frau geben wird, die sich für mich eignet.

HOFFMANN. Ein großes Wort, Lothchen!

LOTH. Im Ernst! – Mag sein, daß man mit den Jahren zu

kritisch wird und zu wenig gesunden Instinkt besitzt. Ich halte den Instinkt für die beste Garantie einer geeigneten Wahl.

HOFFMANN *(frivol)*. Der wird sich schon noch 'mal wiederfinden *(lachend)*, der Instinkt nämlich.

LOTH. – Schließlich – was kann ich einer Frau bieten? ich werde immer mehr zweifelhaft, ob ich einer Frau zumuthen darf, mit dem kleinen Theile meiner Persönlichkeit vorlieb zu nehmen, der nicht meiner Lebensarbeit gehört – dann fürchte ich mich auch vor der Sorge um die Familie.

HOFFMANN. Wa . . . was? – vor der Sorge um die Familie? Kerl! hast Du denn nicht Kopf, Arme, he?

LOTH. Wie Du siehst. Aber ich sagte Dir ja schon, meine Arbeitskraft gehört zum größten Theil meiner Lebensaufgabe und wird ihr immer zum größten Theil gehören: sie ist also nicht mehr mein, ich hätte außerdem mit ganz besonderen Schwierigkeiten . . . . . .

HOFFMANN. Pst! klingelt da nicht Jemand?

LOTH. Du hälst das für Phrasengebimmel?

HOFFMANN. Ehrlich gesprochen, es klingt etwas hohl! – unser einer ist schließlich auch kein Buschmann, trotzdem man verheirathet ist. Gewisse Menschen geberden sich immer, als ob sie ein Privilegium auf alle in der Welt zu vollbringenden guten Thaten hätten.

LOTH *(heftig)*. Gar nicht! – denk' ich gar nicht d'ran! – Wenn Du von Deiner Lebensaufgabe nicht abgekommen wärst, so würde das an Deiner glücklichen materiellen Lebenslage mitliegen.

HOFFMANN *(mit Ironie)*. Dann wäre das wohl auch eine Deiner Forderungen.

LOTH. Wie? Forderungen? was?

HOFFMANN. Ich meine: Du würdest bei einer Heirath auf
Geld sehen.

LOTH. Unbedingt.

HOFFMANN. Und dann giebt es – wie ich Dich kenne –
noch eine lange Zaspel anderer Forderungen.

LOTH. Sind vorhanden! leibliche und geistige Gesundheit
der Braut zum Beispiel ist conditio sine qua non.

HOFFMANN (lachend). Vorzüglich, dann wird ja wohl vorher eine ärztliche Untersuchung der Braut nothwendig
werden. – Göttlicher Hecht!

LOTH (immer ernst). Ich stelle aber auch an mich Forderungen, mußt Du nehmen.

HOFFMANN (immer heiterer). Ich weiß, weiß! . . . wie
Du 'mal die Literatur über Liebe durchgingst, um auf das
Gewissenhafteste festzustellen ob das, was Du damals
für irgend eine Dame empfandest, auch wirklich Liebe
sei. Also sag' doch 'mal noch einige Deiner Forderungen.

LOTH. Meine Frau müßte zum Beispiel entsagen können.

HELENE. – Wenn . . . wenn . . . ach! ich will lieber
nicht reden . . . ich wollte nur sagen: die Frau ist doch
im Allgemeinen an's Entsagen gewöhnt.

LOTH. Um's Himmels willen! Sie verstehen mich durchaus
falsch. So ist das Entsagen nicht gemeint. Nur in sofern
verlange ich Entsagung, oder besser, nur auf den Theil
meines Wesens, der meiner Lebensaufgabe gehört,
müßte sie freiwillig und mit Freuden verzichten. Nein,
nein! im Übrigen soll meine Frau fordern, und immer
fordern – Alles was ihr Geschlecht im Laufe der Jahrtau-
sende eingebüßt hat.

HOFFMANN. Au! au! au! . . . Frauenemancipation! –
wirklich Deine Schwenkung war bewunderungswür-
dig – nun bist Du ja im rechten Fahrwasser. Alfred Loth,
oder der Agitator in der Westentasche! . . . .
Wie würdest Du denn hierin Deine Forderungen for-
muliren, oder besser: wie weit müßte Deine Frau eman-
cipirt sein? – Es amüsirt mich wirklich Dich anzuhören –
Cigarren rauchen? Hosen tragen?

LOTH. Das nun weniger – aber – sie müßte allerdings, über
gewisse gesellschaftliche Vorurtheile hinaus sein. Sie
müßte zum Beispiel nicht davor zurückschrecken zuerst – falls sie nämlich wirklich Liebe zu mir empfände –
das bewußte Bekenntniß abzulegen.

HOFFMANN (ist mit frühstücken zu Ende. Springt auf, in
halb ernster, halb komischer Entrüstung). Weißt Du!
das . . . das ist . . . eine geradezu unverschäm-
te Forderung! mit der Du allerdings auch – wie ich Dir
hiermit prophezeihe – wenn Du nicht etwa vorziehst,
sie fallen zu lassen, bis an Dein Lebensende herumlau-
fen wirst.

HELENE (mit schwer bewältigter, innerer Erregung). Ich
bitte die Herren mich jetzt zu entschuldigen – die
Wirthschaft . . . Du weißt, Schwager: Mama ist in
der Stube und da . . .

HOFFMANN. Laß Dich nicht abhalten.

(Helene verbeugt sich; ab.)

HOFFMANN (mit dem Streichholzetui nach dem Cigarren-
kistchen, das auf dem Buffet steht, zuschreitend). Das
muß wahr sein . . . Du bringst einen in Hitze, . . .
ordentlich unheimlich. (Nimmt eine Cigarre aus der Kiste und läßt sich dann auf das Sopha links vorn nieder. Er

schneidet die Spitze der Cigarre ab und hält während des
Folgenden die Cigarre in der Linken, das abgetrennte
Spitzchen zwischen den Fingern der rechten Hand.) Bei
alledem . . . es amüsirt doch. Und dann: Du glaubst
nicht, wie wohl es thut, so'n paar Tage auf dem Lande,
abseit von den Geschäften zuzubringen. Wenn nur
nicht heute dies verwünschte . . . wie spät ist es
denn eigentlich? Ich muß nämlich leider Gottes heute
zu einem Essen nach der Stadt. – Es war unumgänglich:
dies Diner mußte ich geben. Was soll man machen, als
Geschäftsmann? – Eine Hand wäscht die andere. Die
Bergbeamten sind nun 'mal d'ran gewöhnt. – Na! eine
Cigarre kann man noch rauchen, – in aller Gemüths-
ruhe. *(Er trägt das Spitzchen nach dem Spucknapf, läßt*
sich dann abermals auf dem Sopha nieder und setzt seine
Cigarre in Brand.)

LOTH *(am Tisch; blättert stehend in einem Prachtwerk)*. Die
Abenteuer des Grafen Sandor.

HOFFMANN. Diesen Unsinn findest Du hier bei den
meisten Bauern aufliegen.

LOTH *(unter dem Blättern)*. Wie alt ist eigentlich Deine
Schwägerin?

HOFFMANN. Im August einundzwanzig gewesen.

LOTH. Ist sie leidend?

HOFFMANN. Weiß nicht. – Glaube übrigens nicht – macht
Sie Dir den Eindruck? –

LOTH. Sie sieht allerdings mehr verhärmt als krank aus.

HOFFMANN. Na ja! die Scherereien mit der Stiefmutter . . . . . .

LOTH. Auch ziemlich reizbar scheint sie zu sein!?

HOFFMANN. Unter solchen Verhältnissen . . . .

Ich möchte den sehen, der unter solchen Verhältnissen
nicht reizbar werden würde.

. . . .

LOTH. Viel Energie scheint sie zu besitzen.

HOFFMANN. Eigensinn!

LOTH. Auch Gemüth, nicht?

HOFFMANN. Zu viel mitunter . . . .

. . . .

LOTH. Wenn die Verhältnisse hier so mißlich für sie sind –
warum lebt Deine Schwägerin dann nicht in Deiner
Familie?

HOFFMANN. Frag sie, warum! – Oft genug hab ich's ihr an-
geboten. Frauenzimmer haben eben ihre Schrullen. *(Die
Cigarre im Munde, zieht Hoffmann ein Notizbuch und
summirt einige Posten.)* Du nimmst es mir doch wohl
nicht übel, wenn ich . . . . . wenn ich Dich dann allein lassen muß?

LOTH. Nein, gar nicht.

HOFFMANN. Wie lange gedenkst Du denn noch . . . . ?

LOTH. Ich werde mir bald nachher eine Wohnung suchen.
Wo wohnt denn eigentlich Schimmelpfennig? Am
besten, ich gehe zu ihm, der wird mir gewiß etwas ver-
mitteln können; hoffentlich findet sich bald etwas Ge-
eignetes, sonst würde ich die nächste Nacht im Gasthaus
nebenan zubringen.

HOFFMANN. Wieso denn? Natürlich bleibst Du dann bis
morgen bei uns. Freilich, ich bin selbst nur Gast in diesem Hause – sonst würde ich Dich natürlich auffor-
dern . . . . Du begreifst . . . . . . !

LOTH. Vollkommen! . . . .

. . . .

HOFFMANN. Aber, sag doch mal – sollte das wirklich Dein Ernst gewesen sein . . . . ?

LOTH. Daß ich die nächste Nacht im Gast . . . . ?

HOFFMANN. Unsinn! . . . Bewahre! Was Du vorhin sagtest, meine ich. Die Geschichte da – mit Deiner vertrackten descriptiven Arbeit?

LOTH. Weshalb nicht?

HOFFMANN. Ich muß Dir gestehen, ich hielt es für Scherz. *(Er erhebt sich, vertraulich, halb und halb im Scherz.)* Wie? Du solltest wirklich fähig sein, hier . . . . gerade hier, wo ein Freund von Dir glücklich festen Fuß gefaßt hat, den Boden zu unterwühlen?

LOTH. Mein Ehrenwort, Hoffmann! Ich hatte keine Ahnung davon, daß Du Dich hier befändest. Hätte ich das gewußt . . . . .

HOFFMANN *(springt auf, hocherfreut)*. Schon gut! schon gut! Wenn die Sachen so liegen . . . . siehst Du, das freut mich aufrichtig, daß ich mich nicht in Dir getäuscht habe. Also, Du weißt es nun, und selbstredend erhältst Du die Kosten der Reise und Alles, was drum und dran baumelt, von mir vergütet. Ziere Dich nicht! es ist einfach meine Freundespflicht . . . . Daran erkenne ich meinen alten, biederen Loth! Denke mal an: ich hatte Dich wirklich eine Zeit lang ernstlich im Verdacht . . . . Aber nun muß ich Dir auch ehrlich sagen, so schlecht, wie ich mich zuweilen hinstelle, bin ich keineswegs. Ich habe Dich immer hochgeschätzt: Dich und Dein ehrliches, consequentes Streben. Ich bin der Letzte, der gewisse – leider, leider mehr als berechtigte Ansprüche der ausgebeuteten, unterdrückten Massen nicht gelten läßt. – Ja, lächle nur, ich gehe sogar so weit, zu be-

kennen, daß es im Reichstag nur eine Partei giebt, die
Ideale hat: und das ist dieselbe, der Du ange-
hörst! . . . .
Nur – wie gesagt – langsam! langsam! – nichts überstür-
zen. Es kommt Alles, kommt Alles, wie es kommen soll.
Nur Geduld! Geduld . . . . !
LOTH. Geduld muß man allerdings haben. Deshalb aber ist
man noch nicht berechtigt, die Hände in den Schooß zu
legen.
HOFFMANN. Ganz meine Ansicht! – Ich hab' Dir überhaupt in Gedanken weit öfter zugestimmt, als mit Worten. Es ist 'ne Unsitte, ich geb's zu. Ich hab mir's angewöhnt, im Verkehr mit Leuten, die ich nicht gern in
meine Karten sehen lasse . . . . Auch in der Frauenfrage . . . . Du hast Manches sehr treffend geäußert.
(*Er ist inzwischen an's Telephon getreten, weckt und
spricht theils in's Telephon, theils zu Loth.*) Die kleine
Schwägerin war übrigens ganz Ohr . . (*Ins Telephon:*)
Franz! In zehn Minuten muß angespannt sein . . . .
(*Zu Loth:*) Es hat ihr Eindruck gemacht . . . . (*Ins Telephon:*) Was? – ach was, Unsinn! – Na, da hört doch
aber . . . . . dann schirren Sie schleunigst die Rap-
pen an . . . . . (*Zu Loth:*) Warum sollte es ihr keinen
Eindruck machen? . . . (*Ins Telephon:*) Gerechter
Strohsack, zur Putzmacherin sagen Sie? die gnädige
Frau . . . . die gnä . . . Ja – na ja! aber sofort – na
ja! – ja! – schön! Schluß! (*Nachdem er darauf den Knopf
der Hausklingel gedrückt, zu Loth:*) Wart nur ab, Du! Laß
mich nur erst den entsprechenden Monetenberg aufge-
schichtet haben, vielleicht geschieht dann etwas . . .
(*Eduard ist eingetreten.*) Eduard! Meine Gamaschen,

meinen Gehrock! *(Eduard ab.)* Vielleicht geschieht dann
etwas, was Ihr mir Alle jetzt nicht zutraut . . . .
Wenn Du in zwei oder drei Tagen – bis dahin wohnst Du
unbedingt bei uns – ich müßte es sonst als eine grobe
Beleidigung ansehen[,] *(er legt den Schlafrock ab)* in zwei 5
bis drei Tagen also, wenn Du abzureisen gedenkst, brin-
ge ich Dich mit meiner Kutsche zur Bahn.
(Eduard mit Gehrock und Gamaschen tritt ein.)

HOFFMANN *(indem er sich den Rock überziehen läßt).* So!
(Auf einen Stuhl niedersitzend:) Nun die Stiefel! *(Nach-* 10
dem er einen derselben angezogen:) Das wäre einer!

LOTH. Du hast mich doch wohl nicht ganz verstanden.

HOFFMANN. Ach ja! das ist leicht möglich. Man ist so raus
aus all den Sachen. Nur immer lederne Geschäftsangele-
genheiten. Eduard! ist denn noch keine Post gekom- 15
men? Warten Sie mal! – Gehen Sie doch mal in mein
Zimmer! Auf dem Pult links liegt ein Schriftstück mit
blauem Deckel, bringen Sie's raus in die Wagentasche.
*(Eduard ab in die Thür rechts, dann zurück und ab durch
die Mittelthür.)* 20

LOTH. Ich meine ja nur: Du hast mich in e i n e r B e z i e -
h u n g nicht verstanden.

HOFFMANN *(sich immer noch mit dem zweiten Schuh her-
umquälend).* Upsa! . . . . So! *(er steht auf und tritt
die Schuhe ein)* da wären wir. Nichts ist unangenehmer 25
als enge Schuhe . . . . Was meintest Du eben?

LOTH. Du sprachst von meiner Abreise . . . .

HOFFMANN. Nun?

LOTH. Ich habe Dir doch bereits gesagt, daß ich um eines
ganz bestimmten Zweckes willen hier am O r t bleiben 30
muß.

HOFFMANN *(auf's Äußerste verblüfft und entrüstet zugleich)*. Hör mal . . . . ! das ist aber beinahe nichtswürdig!!! – Weißt Du denn nicht, was Du mir als Freund schuldest?

5 LOTH. Doch wohl nicht den Verrath meiner Sache!?

HOFFMANN *(außer sich)*. Nun, dann . . . dann habe ich auch nicht die kleinste Veranlassung, Dir gegenüber als Freund zu verfahren. Ich sage Dir also: daß ich Dein Auftreten hier – gelinde gesprochen – für fabelhaft
10 dreist halte.

LOTH *(sehr ruhig)*. Vielleicht erklärst Du mir, was Dich berechtigt, mich mit dergleichen Epitheta . . . . .

HOFFMANN. Das soll ich Dir auch noch erklären? Da hört eben Verschiedenes auf! Um so was nicht zu fühlen,
15 muß man Rhinoceroshaut auf dem Leibe haben! Du kommst hierher, genieß'st meine Gastfreundschaft, drisch'st mir ein paar Schock Deiner abgegriffnen Phrasen vor, verdrehst meiner Schwägerin den Kopf, schwatzest von alter Freundschaft und so was Gut's[,] und dann
20 erzählst Du ganz naiv: Du wolltest eine descriptive Arbeit über hiesige Verhältnisse verfertigen. Ja, für was hältst Du mich denn eigentlich? Meinst Du vielleicht, ich wüßte nicht, daß solche sogenannte Arbeiten nichts als schamlose Pamphlete sind? . . . . Solch eine Schmäh-
25 schrift willst Du schreiben[,] und zwar über unseren Kohlendistrict. Solltest Du denn wirklich nicht begreifen, wen diese Schmähschrift am allerschärfsten schädigen müßte? doch nur mich! – Ich sage: man sollte Euch das Handwerk noch gründlicher legen, als es bisher ge-
30 schehen ist, Volksverführer! die Ihr seid. Was thut Ihr? Ihr macht den Bergmann unzufrieden, anspruchsvoll,

reizt ihn auf, erbittert ihn, macht ihn aufsässig, ungehorsam, unglücklich, spiegelt ihm goldene Berge vor und grapscht ihm unter der Hand seine paar Hungerpfennige aus der Tasche.

LOTH. Erachtest Du Dich nun als demaskirt?

HOFFMANN *(roh)*. Ach was! Du lächerlicher, gespreizter Tugendmeier! Was mir das wohl ausmacht, vor Dir demaskirt zu sein! – Arbeite lieber! Laß Deine albernen Faseleien! – Thu was! Komm zu was! Ich brauche Niemand um zweihundert Mark anzupumpen. *(Schnell ab durch die Mittelthür.)*

(Loth sieht ihm einige Augenblicke ruhig nach, dann greift er, nicht minder ruhig, in seine Brusttasche, zieht ein Portefeuille und entnimmt ihm ein Stück Papier (den Chec Hoffmann's), das er mehrmals durchreißt, um die Schnitzel dann langsam in den Kohlenkasten fallen zu lassen. Hierauf nimmt er Hut und Stock und wendet sich zum Gehen. Jetzt erscheint Helene auf der Schwelle des Wintergartens.)

HELENE *(leise)*. Herr Loth!

LOTH *(zuckt zusammen, wendet sich)*. Ah! Sie sind es. – Nun – dann – kann ich I h n e n doch wenigstens ein Lebewohl sagen.

HELENE *(unwillkürlich)*. War Ihnen das Bedürfniß?

LOTH. Ja! – es war mir Bedürfniß –! Vermuthlich – wenn Sie da drin gewesen sind – haben Sie den Auftritt hier mit angehört – und dann . . . . .

HELENE. Ich habe Alles mit angehört.

LOTH. Nun – dann – wird es Sie nicht in Erstaunen setzen, wenn ich dieses Haus so ohne Sang und Klang verlasse.

HELENE. N – nein! – ich begreife –! . . . .
. . . .
Vielleicht kann's Sie milder gegen ihn stimmen . . .
mein Schwager bereut immer sehr schnell. Ich hab's
oft . . .

LOTH. Ganz möglich –! Vielleicht gerade deshalb aber ist
das, was er über mich sagte, seine wahre Meinung von
mir. – Es ist sogar unbedingt seine wahre Meinung.

HELENE. Glauben Sie das im Ernst?

LOTH. Ja! – im Ernst! Also . . . . *(er geht auf sie zu und
giebt ihr die Hand)* leben Sie recht glücklich! *(Er wendet
sich und steht sogleich wieder still.)* Ich weiß
nicht . . . . ! oder besser: *(Helenen klar und ruhig in's
Gesicht blickend)* Ich weiß, weiß erst seit . . . seit diesem Augenblick, daß es mir nicht ganz leicht ist, von hier
fortzugehen . . . . und . . . . ja . . . und . . .
na ja!

HELENE. Wenn ich Sie aber – recht schön bäte . . . .
recht sehr . . . noch weiter hier zu bleiben –?

LOTH. Sie theilen also nicht die Meinung Ihres Schwagers?

HELENE. Nein!! – und das – wollte ich Ihnen unbedingt . . . unbedingt noch sagen, bevor . . . bevor – Sie – gingen.

LOTH *(ergreift abermals ihre Hand).* Das thut mir wirklich wohl.

HELENE *(mit sich kämpfend. In einer sich schnell bis zur Be-
wußtlosigkeit steigernden Erregung. Mühsam hervorstammelnd).* Auch noch mehr w–ollte ich Ihnen . . .
Ihnen sagen, nämlich . . . . näm–lich: daß – ich Sie
sehr hoch–achte und – verehre – wie ich bis jetzt . . . .

bis jetzt noch – keinen Mann . . . . , daß ich Ihnen – vertraue, – daß ich be–reit bin, das . . . . . das zu be– weisen – daß ich – etwas für – Dich, Sie fühle *(sinkt ohn- mächtig in seine Arme).*

LOTH. Helene!   5

Vorhang fällt schnell.

Vierter Akt.

Wie im zweiten Akt: der Gutshof. Zeit: eine Viertelstunde nach Helenens Liebeserklärung.

(*Marie und Golisch, der Kuhjunge, schleppen sich mit einer hölzernen Lade die Bodentreppe herunter. Loth kommt reisefertig aus dem Hause und geht langsam und nachdenklich quer über den Hof. Bevor er in den Wirthshaussteg einbiegt, stößt er auf Hoffmann, der mit ziemlicher Eile durch den Hofeingang ihm entgegen kommt.*)

HOFFMANN (*Cylinder, Glacéhandschuhe*). Sei mir nicht böse. (*Er verstellt Loth den Weg und faßt seine beiden Hände.*) Ich nehme hiermit Alles zurück! . . . nenne mir eine Genugthuung! . . . Ich bin zu jeder Genugthuung bereit! . . . ich bereue, bereue Alles aufrichtig.

LOTH. Das hilft Dir und mir wenig.

HOFFMANN. Ach! – wenn Du doch . . . . sieh mal . . . . ! mehr kann man doch eigentlich nicht thun.

. . . .

Ich sage Dir: mein Gewissen hat mir keine Ruhe gelassen! Dicht vor Jauer bin ich umgekehrt, ... daran solltest Du doch schon erkennen, daß es mir Ernst ist. – Wo wolltest Du hin . . . . ?

LOTH. In's Wirthshaus – einstweilen.

HOFFMANN. Ach, das darfst Du mir nicht anthun . . . . . ! das thu mir nur nicht an! Ich glaube ja, daß es Dich tief kränken mußte. 's ist ja auch vielleicht nicht so – mit ein paar Worten wieder gut zu machen. Nur nimm mir nicht jede Gelegenheit . . . . . jede

Möglichkeit, Dir zu beweisen . . . . . . hörst Du?
Kehr um! . . . . Bleib wenigstens bis . . . bis morgen. Oder bis . . . bis ich zurückkomme. Ich muß
mich noch einmal in Muße mit Dir aussprechen darüber; – das kannst Du mir nicht abschlagen.   5

LOTH. Wenn Dir daran besonders viel gelegen ist . . . .

HOFFMANN. Alles! . . . auf Ehre! – ist mir daran gelegen, Alles! . . . . also komm! . . . komm!! Kneif
ja nicht aus! – komm! *(Er führt Loth, der sich nun nicht
mehr sträubt, in das Haus zurück. Beide ab.)*   10
*(Die entlassene Magd und der Kuhjunge haben inzwi-
schen die Lade auf den Schubkarren gesetzt, Golisch hat
die Traggurte umgenommen.)*

MARIE *(während sie Golisch etwas in die Hand drückt)*.
Doo! Gooschla! hust a woas!   15

DER JUNGE *(weist es ab)*. Behaal' Den'n Biema!

MARIE. Ä! tumme Dare!

DER JUNGE. Na, wegen menner. *(Er nimmt das Geld und
thut es in seinen ledernen Geldbeutel.)*

FRAU SPILLER *(von einem der Wohnhausfenster aus, ruft)*. 20
Marie!

MARIE. Woas wullt er noo?

FRAU SPILLER *(nach einer Minute aus der Hausthür tretend)*. Die gnädige Frau will Dich behalten, wenn Du
versprichst   25

MARIE. Dreck!!! war ich er versprecha! – Foahr zu, Goosch!

FRAU SPILLER *(näher tretend)*. Die gnädige Frau will Dir
auch etwas am Lohn zulegen, wenn Du . . . . *(plötzlich flüsternd:)* Mach Der nischt draus, Moad! se werd ok
manchmal so'n Bisken kullerig.   30

MARIE *(wüthend)*. Se maag siich ihre poar Greschla fer

siich behahl'n! – *(Weinerlich:)* Ehnder derhingern! *(Sie folgt Gosch, der mit dem Schubkarren voran gefahren ist.)* Nee, a su woas oaber oo! – Do sool eens do glei' . . . *(Ab.) (Frau Spiller ihr nach. Ab.)*

5 *(Durch den Haupteingang kommt Baer, genannt Hops-labaer. Ein langer Mensch mit einem Geierhalse und Kropfe dran. Er geht barfuß und ohne Kopfbedeckung, die Beinkleider reichen, unten stark ausgefranst, bis wenig unter die Knie herab. Er hat eine Glatze; das vorhandene*
10 *braune, verstaubte und verklebte Haar reicht ihm bis über die Schulter. Sein Gang ist straußenartig. An einer Schnur führt er ein Kinderwägelchen voll Sand mit sich. Sein Gesicht ist bartlos, die ganze Erscheinung deutet auf einen einige Zwanzig alten[,] verwahrlosten Bauernburschen.)*
15 BAER *(mit merkwürdig blökender Stimme).* Saaa – a – and! Saa – and!

(Er geht durch den Hof und verschwindet zwischen Wohnhaus und Stallgebäude. Hoffmann und Helene aus dem Wohnhaus. Helene sieht bleich aus und trägt ein lee-
20 *res Wasserglas in der Hand.)*

HOFFMANN *(zu Helene).* Unterhalt ihn bissel! verstehst Du? – Laß ihn nicht fort – es liegt mir sehr viel daran. – So'n beleidigter Ehrgeiz . . . Adieu! – Ach! Soll ich am Ende nicht fahren? – Wie geht's mit Martha? – Ich
25 hab so'n eigenthümliches Gefühl, als ob's bald . . . . . Unsinn! – Adieu! . . . höchste Eile! *(Ruft:)* Franz! Was die Pferde laufen können! *(Schnell ab durch den Haupteingang.)*

(Helene geht zur Pumpe, pumpt das leere Glas voll und
30 *leert es auf einen Zug. Ein zweites Glas Wasser leert sie zur Hälfte. Das Glas setzt sie dann auf das Pumpenrohr*

und schlendert langsam, von Zeit zu Zeit rückwärts schauend, durch den Thorweg hinaus. Baer kommt zwischen Wohnhaus und Stallung hervor und hält mit seinem Wagen vor der Wohnhausthür still, wo Miele ihm Sand abnimmt. Indeß ist Kahl von rechts innerhalb des Grenzzaunes sichtbar geworden, im Gespräch mit Frau Spiller, die außerhalb des Zaunes, also auf dem Terrain des Hofeingangs, sich befindet. Beide bewegen sich im Gespräch langsam längs des Zaunes hin.)

FRAU SPILLER *(leidend)*. Ach ja – m – gnädiger Herr Kahl! Ich hab – m – manchmal so an Sie – m – gedacht – m – wenn . . . . . wenn das gnädige Freilein . . . . . . Sie ist doch nun mal – m – so zu sagen – m – mit Sie verlobt, und da . . . . ach! – m – zu meiner Zeit . . . . !

KAHL *(steigt auf die Bank unter der Eiche und befestigt einen Meisekasten auf dem untersten Ast)*. W – wenn werd denn d . . dd . . doas D . . . d . . . d . . . ducterluder amol sssenner W . . . wwwege gihn? hä?

FRAU SPILLER. Ach, Herr Kahl! Ich glaube – m – nicht so bald. – A . . ach, Herr – m – Kahl, ich bin zwar so zu sagen – m – etwas – m – herabjekommen, aber ich weiß so zu sagen – m – was Bildung ist. In dieser Hinsicht, Herr Kahl . . . das Freilein – m – das gnädige Freilein . . . , das handeln nicht gut gegen Ihnen – nein! – m – darin, so zu sagen – m – habe ich mir nie etwas zu Schulden kommen lassen – m – mein Gewissen – m – gnädiger Herr Kahl, ist darin so rein . . . so zu sagen, wie reiner Schnee.

(Baer hat sein Sandgeschäft abgewickelt und verläßt

in diesem Augenblick, an Kahl vorübergehend, den Hof.)

KAHL *(entdeckt Baer und ruft)*. Hopslabaer, hops amool!!
(Baer macht einen riesigen Luftsprung.)

KAHL *(vor Lachen wiehernd, ruft ein zweites Mal)*. Hopslabaer, hops amool!!

FRAU SPILLER. Nun da – m – ja, Herr Kahl! . . . . . ich
meine es nur gut mit Sie. Sie müssen Obacht geben – m –
gnädiger Herr! Es – m – es ist was im Gange mit dem
gnädigen Fräulein und – m – m –

KAHL. D . . doas Ducterluder . . . ok bbbblußig
emool vor a Hunden – blußig e . . e . .
e . . emool!

FRAU SPILLER *(geheimnisvoll)*. Und was das nun noch –
m – für ein Indifidium ist. Ach – m – das gnädige Freilein
thut mir auch s o o leid. Die Frau – m – vom Polizeidie-
ner, die hat's vom Amte, glaub ich. Es soll ein ganz – m –
gefährlicher Mensch sein. Ihr Mann – m – soll ihn so zu
sagen – m – denken Sie nur, soll ihn – m – geradezu im
Auge behalten.
(Loth aus dem Hause. Sieht sich um.)

FRAU SPILLER. Seh'n Sie, nun jeht er dem gnädigen Freilein nach – m –. Aa . . ach, z u u leid thut es einem.

KAHL. Na wart! *(Ab.)*

*(Frau Spiller geht nach der Hausthüre, als sie an Loth vor-
beikommt, macht sie eine tiefe Verbeugung. Ab in das
Haus.)*

*(Loth langsam durch den Thorweg ab. Die Kutschenfrau,
eine magere, abgehärmte und ausgehungerte Frauens-
person, kommt zwischen Stallgebäude und Wohnhaus
hervor. Sie trägt einen großen Topf unter ihrer Schürze*

versteckt und schleicht damit, sich überall ängstlich um-
blickend, nach dem Kuhstall. Ab in die Kuhstallthür. Die
beiden Mägde, jede eine Schubkarre, hoch mit Klee be-
laden, vor sich herstoßend, kommen durch den Thorweg
herein. Beibst, die Sense über der Schulter, die kurze Pfeife 5
im Munde, folgt ihnen nach. Liese hat ihre Schubkarre vor
die linke, Auguste vor die rechte Stallthür gefahren, und
beide Mädchen beginnen große Arme voll Klee in den Stall
hinein zu schaffen.)

LIESE *(leer aus dem Stalle herauskommend)*. Du, Guste! de 10
Marie iis furt.

AUGUSTE. Joa wull doch?!

LIESE. Gih nei! freu' die Kutscha-Franzen, se milkt er an
Truppen Milch ei.

BEIBST *(hängt seine Sense an der Wand auf)*. Na! doa lußt 15
ok de Spillern nee ernt derzune kumma.

AUGUSTE. Oh jechtich! nee ok nee! bei Leibe nich!

LIESE. A su a oarm Weib miit achta.

AUGUSTE. Acht kleene Bälge! – die wull'n laba.

LIESE. Nee amool an Truppen Milch thun s' er ginn'n . . . 20
meschant iis doas.

AUGUSTE. Wu milkt se denn?

LIESE. Ganz derhinga, de neumalke Fenus!

BEIBST *(stopft seine Pfeife; den Tabaksbeutel mit den Zäh-*
nen festhaltend, nuschelt er). De Marie wär weg? 25

LIESE. Ju, ju, 's iis fer gewiß! – der Pfaarknecht hot gle bein
er geschloofa.

BEIBST *(den Tabaksbeutel in die Tasche steckend)*. Amool
wiil Jedes! – au' de Frau. *(Er zündet sich die Pfeife an, dar-*
auf durch den Haupteingang ab. Im Abgehen:) Ich gih a 30
wing frihsticka!

DIE KUTSCHENFRAU *(den Topf voll Milch vorsichtig unter der Schürze, guckt aus der Stallthür heraus).* Sitt ma Jemanda?

LIESE. Koanst kumma, Kutschen, ma sitt ken'n. Kumm! kumm schnell!

KUTSCHENFRAU *(im Vorübergehen zu den Mägden).* Ok fersch Pappekindla!

LIESE *(ihr nachrufend).* Schnell! 's kimmt Jemand. *(Kutschenfrau zwischen Wohnhaus und Stallung ab.)*

AUGUSTE. Blußig ok inse Frele.

(Die Mägde räumen nun weiter die Schubkarren ab und schieben sie, wenn sie leer sind unter den Thorweg, hierauf Beide ab in den Kuhstall.)

(Loth und Helene kommen zum Thorweg herein.)

LOTH. Widerlicher Mensch! dieser Kahl, – frecher Spion!

HELENE. In der Laube vorn, glaub ich . . . *(Sie gehen durch das Pförtchen in das Gartenstückchen links vorn und in die Laube daselbst.)* Es ist mein Lieblingsplatz. – Hier bin ich noch am ungestörtesten, wenn ich mal was lesen will.

LOTH. Ein hübscher Platz hier. – Wirklich! *(Beide setzen sich, ein wenig von einander getrennt, in der Laube nieder. Schweigen. Darauf Loth:)* Sie haben so sehr schönes und reiches Haar, Fräulein!

HELENE. Ach ja, mein Schwager sagt das auch. Er meinte, er hätte es kaum so gesehen – auch in der Stadt nicht . . . . Der Zopf ist oben so dick wie mein Handgelenk . . . . Wenn ich es losmache, dann reicht es mir bis zu den Knien. Fühlen Sie mal –! Es fühlt sich wie Seide an, gelt?

LOTH. Ganz wie Seide. *(Ein Zittern durchläuft ihn, er beugt sich und küßt das Haar.)*

HELENE *(erschreckt)*. Ach nicht doch! Wenn . . . .

LOTH. Helene –! War das vorhin nicht Dein Ernst?

HELENE. Ach! – ich schäme mich so schrecklich. Was habe ich nur gemacht? – Dir . . . Ihnen an den Hals geworfen habe ich mich. – Für was müssen Sie mich halten . . . !

LOTH *(rückt ihr näher, nimmt ihre Hand in die seine)*. Wenn Sie sich doch d a r über beruhigen wollten!

HELENE *(seufzend)*. Ach, das müßte Schwester Schmittgen wissen . . . . ich sehe gar nicht hin!

LOTH. Wer ist Schwester Schmittgen?

HELENE. Eine Lehrerin aus der Pension.

LOTH. Wie können Sie sich nur über Schwester Schmittgen Gedanken machen!

HELENE. Sie war sehr gut . . . . ! *(Sie lacht plötzlich heftig in sich hinein.)*

LOTH. Warum lachst Du denn so auf einmal?

HELENE *(zwischen Pietät und Laune)*. Ach! . . . . Wenn sie auf dem Chor stand und sang . . . . . Sie hatte nur noch einen einzigen langen Zahn . . . . da sollte es immer heißen: Tröste, tröste mein Volk! und es kam immer heraus: 'Röste, 'röste mein Volk! Das war zu drollig . . . . da mußten wir immer so lachen . . . . wenn sie so durch den Saal . . . . 'röste! röste! *(Sie kann sich vor Lachen nicht lassen, Loth ist von ihrer Heiterkeit angesteckt. Sie kommt ihm dabei so lieblich vor, daß er den Augenblick benutzen will, den Arm um sie zu legen. Helene wehrt es ab.)* Ach nein doch . . . . ! Ich habe mich Dir . . . Ihnen an den Hals geworfen.

LOTH. Ach! sagen Sie doch nicht so etwas.

HELENE. Aber ich bin nicht schuld, Sie haben sich's selbst zuzuschreiben. Warum verlangen Sie . . . . .

(Loth legt nochmals seinen Arm um sie, zieht sie fester an
sich. Anfangs sträubt sie sich ein wenig, dann giebt sie sich
drein und blickt nun mit freier Glückseligkeit in Loth's
glücktrunkenes Gesicht, das sich über das ihre beugt. Un-
versehens, aus einer gewissen Schüchternheit heraus[,]
küßt sie ihn zuerst auf den Mund. Beide werden roth,
dann giebt Loth ihr den Kuß zurück; lang, innig, fest
drückt sich sein Mund auf den ihren. Ein Geben und Neh-
men von Küssen ist eine Zeit hindurch die einzige Unter-
haltung – stumm und beredt zugleich – der Beiden. Loth
spricht dann zuerst.)

LOTH. Lene, nicht? Lene heißt Du hier so?

HELENE *(küßt ihn . . . .)*. Nenn mich anders . . . . . Nenne mich, wie Du gern
möcht'st.

LOTH. Liebste! . . . .

(Das Spiel mit dem Küssetauschen und sich gegenseitig
Betrachten wiederholt sich.)

HELENE *(von Loth's Armen fest umschlungen, ihren Kopf*
an seiner Brust, mit verschleierten glückseligen Augen,
flüstert im Überschwang). Ach! – wie schön! Wie
schön –!!!

LOTH. So mit Dir sterben!

HELENE *(mit Inbrunst)*. Leben! . . . . *(Sie löst sich aus*
seinen Armen.) Warum denn jetzt sterben? . . . . .
jetzt . . .

LOTH. Das mußt Du nicht falsch auffassen. Von jeher berausche ich mich . . . . besonders in glücklichen Mo-

menten berausche ich mich in dem Bewußtsein, es in der Hand zu haben, weißt Du!

HELENE. Den Tod in der Hand zu haben?

LOTH *(ohne jede Sentimentalität)*. Ja! und so hat er gar nichts Grausiges, im Gegentheil, so etwas Freundschaftliches hat er für mich. Man ruft und weiß bestimmt, daß er kommt. Man kann sich dadurch über alles Mögliche hinwegheben, Vergangenes – und Zukünftiges . . . . *(Helenen's Hand betrachtend).* Du hast eine so wunderhübsche Hand. *(Er streichelt sie.)*

HELENE. Ach ja! – so . . . . . *(Sie drückt sich auf's Neue in seine Arme.)* . . . .

. . . .

LOTH. Nein, weißt Du! ich hab nicht gelebt! . . . . . bisher nicht!

HELENE. Denkst Du ich? . . . .

. . . .

Mir ist fast taumlig . . . . taumelig bin ich vor Glück. Gott! wie ist das – nur so auf einmal . . . .

LOTH. Ja, so auf ein – mal . . . .

. . . .

HELENE. Hör mal! so ist mir: die ganze Zeit meines Lebens, – ein Tag! – gestern und heut, – ein Jahr! gelt?

LOTH. Erst gestern bin ich gekommen?

HELENE. Ganz gewiß! – eben! – natürlich! . . . . . Ach, ach! Du weißt es nicht mal!

LOTH. Es kommt mir wahrhaftig auch vor . . . .

HELENE. Nicht –? Wie 'n ganzes geschlagnes Jahr! – Nicht –? *(Halb aufspringend:)* Wart . . . . ! – Kommt – da nicht . . . . *(Sie rücken aus einander.)* . . . .

. . . .

Ach! es ist mir auch – egal. Ich bin jetzt – so muthig *(sie
bleibt sitzen und muntert Loth mit einem Blick auf, näher
zu rücken, was dieser sogleich thut).*

HELENE *(in Loth's Armen).* . . . .
Du! – Was thun wir denn nu zuerst?

LOTH. Deine Stiefmutter würde mich wohl – abweisen.

HELENE. Ach, meine Stiefmutter . . . . das wird wohl
gar nicht . . . . gar nichts geht's die an! Ich mache,
was ich will . . . . . Ich hab mein mütterliches Erbtheil, mußt Du wissen.

LOTH. Deshalb meinst Du . . . .

HELENE. Ich bin majorenn, Vater muß mir's auszah-
len.

LOTH. Du stehst wohl nicht gut – mit Allen hier? – Wohin
ist denn Dein Vater verreist?

HELENE. Verr . . . Du hast . . . ? ach, Du hast Vater
noch nicht gesehen?

LOTH. Nein! Hoffmann sagte mir . . . .

HELENE. Doch! . . . hast Du ihn schon einmal gesehen.

LOTH. Ich wüßte nicht! . . . Wo denn, Liebste?

HELENE. Ich . . . *(sie bricht in Thränen aus)* nein, ich
kann – kann Dir's noch nicht sagen . . . . zu furchtbar schrecklich ist das.

LOTH. Furchtbar schrecklich? Aber Helene! ist denn Deinem Vater etwas . . .

HELENE. Ach! – frag mich nicht! jetzt nicht! später!

LOTH. Was Du mir nicht freiwillig sagen willst, danach
werde ich Dich auch gewiß nicht mehr fragen . . . . .

. . . .

Sieh mal, was das Geld anlangt . . . . . im schlimm-

sten Falle . . . . ich verdiene ja mit dem Artikel-
schreiben nicht gerade überflüssig viel, aber ich denke,
es müßte am Ende für uns Beide ganz leidlich hinrei-
chen.

HELENE. Und ich würde doch auch nicht müßig sein. Aber 5
besser ist besser. Das Erbtheil ist vollauf genug. – Und
Du sollst Deine Aufgabe . . . . nein, die sollst Du unter keiner Bedingung aufgeben, jetzt erst recht . . . . !
jetzt sollst Du erst recht die Hände frei bekommen.

LOTH *(sie innig küssend)*. Liebes, edles Geschöpf! 10

. . . .

HELENE. Hast Du mich wirklich lieb . . . . ? . . .
Wirklich? . . . wirklich?

LOTH. Wirklich.

HELENE. Sag hundert Mal wirklich! 15

LOTH. Wirklich, wirklich und wahrhaftig.

HELENE. Ach, weißt Du! Du schummelst!

LOTH. Das wahrhaftig gilt hundert wirklich.

HELENE. Soo!? wohl in Berlin?

LOTH. Nein, eben in Witzdorf. 20

HELENE. Ach, Du! . . . .

. . . .

Sieh meinen kleinen Finger an und lache nicht.

LOTH. Gern.

HELENE. Hast Du au–ßer Dei–ner er–sten Braut noch An- 25
dere ge . . . . ? Du!!! Du lachst.

LOTH. Ich will Dir was im Ernst sagen. Liebste, ich halte es
für meine Pflicht . . . . Ich habe mit einer großen
Anzahl Frauen . . . .

HELENE *(schnell und heftig auffahrend, drückt ihm den* 30
Mund zu). Um Gott . . . ! sag mir das einmal – später –

wenn wir alt sind . . . . nach Jahren – wenn ich Dir
sagen werde: jetzt – hörst Du! nicht eher.

LOTH. Gut! wie Du willst.

HELENE. Lieber was Schönes jetzt!   Paß auf!

5   Sprich mir mal das nach:

LOTH. Was?

HELENE. »Ich hab Dich«

LOTH. »Ich hab Dich«

HELENE. »und nur immer Dich«

10 LOTH. »und nur immer Dich«

HELENE. »geliebt – geliebt Zeit meines Lebens«

LOTH. »geliebt – geliebt Zeit meines Lebens«

HELENE. »und werde nur Dich allein Zeit meines Lebens
lieben«

15 LOTH. »und werde nur Dich allein Zeit meines Lebens lieben, und das ist wahr, so wahr ich ein ehrlicher Mann bin.«

HELENE *(freudig)*. Das hab ich nicht gesagt.

LOTH. Aber ich. *(Küsse.)* . . . .

. . . .

20 HELENE *(summt ganz leise)*. Du, Du liegst mir im Her–zen

. . . .

LOTH. Jetzt sollst Du auch beichten.

HELENE. Alles, was Du willst.

LOTH. Beichte! Bin ich der Erste?

25 HELENE. Nein.

LOTH. Wer?

HELENE *(übermüthig herauslachend)*. Koahl-Willem!

LOTH *(lachend)*. Wer noch?

HELENE. Ach nein! weiter ist es wirklich Keiner. Du mußt

30   mir glauben . . . .
Wirklich nicht. Warum sollte ich denn lügen . . . . ?

LOTH. Also doch noch Jemand?

HELENE *(heftig)*. Bitte, bitte, bitte, bitte, frag mich jetzt nicht darum. *(Versteckt das Gesicht in den Händen, weint scheinbar ganz unvermittelt.)*

LOTH. Aber . . . . aber Lenchen! ich dringe ja durchaus nicht in Dich.

HELENE. Später! Alles, Alles später.

LOTH. Wie gesagt, Liebste . . . .

HELENE. 's war Jemand – mußt Du wissen – den ich, ... weil . . . . weil er unter Schlechten mir weniger schlecht vorkam. Jetzt ist das ganz anders. *(Weinend an Loth's Halse, stürmisch:)* Ach, wenn ich doch gar nicht mehr von Dir fort müßte! Am liebsten ginge ich gleich auf der Stelle mit Dir.

LOTH. Du hast es wohl sehr schlimm hier im Hause?

HELENE. Ach, Du! – Es ist ganz entsetzlich, wie es hier zugeht; ein Leben wie – das . . . . wie das liebe Vieh, – ich wäre darin umgekommen ohne Dich – mich schaudert's!

LOTH. Ich glaube, es würde Dich beruhigen, wenn Du mir Alles offen sagtest, Liebste!

HELENE. Ja freilich! aber – ich bring's nicht über mich. Jetzt nicht . . . . jetzt noch nicht! – Ich fürcht' mich förmlich.

LOTH. Du warst in der Pension?!

HELENE. Die Mutter hat es bestimmt – auf dem Sterbebett noch.

LOTH. Auch Deine Schwester war . . . . ?

HELENE. Nein! – die war immer zu Hause . . . . . und als ich dann nun vor vier Jahren wiederkam, da fand ich – einen Vater – der . . . . eine Stiefmutter – die . . . .

eine Schwester . . . .
rath mal, was ich meine!

LOTH. Deine Stiefmutter ist zänkisch. – Nicht? – Vielleicht eifersüchtig? – lieblos?

HELENE. Der Vater . . . . ?

LOTH. Nun! – der wird aller Wahrscheinlichkeit nach in ihr Horn blasen. – Tyrannisirt sie ihn vielleicht?

HELENE. Wenn's weiter nichts wär . . . nein! . . . es ist zu entsetzlich! – Du kannst nicht darauf kommen – daß . . . . daß der – mein Vater . . . . daß es mein Vater war – den – Du . . . .

LOTH. Weine nur nicht, Lenchen! . . . siehst Du – nun möcht ich beinah ernstlich darauf dringen, daß Du mir . . .

HELENE. Nein! es geht nicht! ich habe noch nicht die Kraft – es – Dir . . . .

LOTH. Du reibst Dich auf, so.

HELENE. Ich schäme mich zu bodenlos! – Du . . . Du wirst mich fortstoßen, fortjagen . . . ! Es ist über alle Begriffe . . . . Ekelhaft ist es!

LOTH. Lenchen, Du kennst mich nicht – sonst würd'st Du mir so etwas nicht zutrauen. – Fortstoßen! fortjagen! Komm ich Dir denn wirklich so brutal vor?

HELENE. Schwager Hoffmann sagte: Du würdest – kaltblütig . . . . Ach nein! nein! nein! das thust Du doch nicht! gelt? – Du schreitest nich über mich weg? thu' es nicht!! – Ich weiß nicht – was – dann noch aus – mir werden sollte.

LOTH. Ja, aber das ist ja Unsinn! Ich hätte ja gar keinen Grund dazu.

HELENE. Also Du hältst es doch für möglich?!

LOTH. Nein! – eben nicht.

HELENE. Aber wenn Du Dir einen Grund ausdenken kannst.

LOTH. Es gäbe allerdings Gründe, aber – die stehen nicht in Frage.

HELENE. Und solche Gründe?

LOTH. Nur, wer mich zum Verräther meiner selbst machen wollte, über den müßte ich hinweggehen.

HELENE. Das will ich gewiß nicht – aber ich werde halt das Gefühl nicht los.

LOTH. Was für ein Gefühl, Liebste?

HELENE. Es kommt vielleicht daher: ich bin so dumm! – Ich hab gar nichts in mir. Ich weiß nicht mal, was das ist, Grundsätze. – Gelt? das ist doch schrecklich. Ich lieb Dich nur so einfach! – aber Du bist so gut, so groß – und hast so viel in Dir. Ich habe solche Angst, Du könntest doch noch mal merken – wenn ich was Dummes sage – oder mache – daß es doch nicht geht, ... daß ich doch viel zu einfältig für Dich bin . . . . Ich bin wirklich schlecht und dumm wie Bohnenstroh.

LOTH. Was soll ich dazu sagen?! Du bist mir Alles in Allem! Alles in Allem bist Du mir! Mehr weiß ich nicht.

HELENE. Und gesund bin ich ja auch . . . . .

LOTH. Sag mal! sind Deine Eltern gesund?

HELENE. Ja, das wohl! das heißt: die Mutter ist am Kindbettfieber gestorben. Vater ist noch gesund; er muß sogar eine sehr starke Natur haben. Aber . . . .

LOTH. Na! – siehst Du! also . . .

HELENE. Und wenn die Eltern nun nicht gesund wären –?

LOTH *(küßt Helene)*. Sie sind's ja doch, Lenchen.

HELENE. Aber wenn sie es nicht wären –? *(Frau Krause stößt ein Wohnhausfenster auf und ruft in den Hof.)*

FRAU KRAUSE. Ihr Madel! Ihr Maa . . del!!

LIESE *(aus dem Kuhstall)*. Frau Krausen!?

5 FRAU KRAUSE. Renn' zur Müllern! 's giht luus!

LIESE. Wa–a, zur Hebomme Millern, meen' Se?

FRAU KRAUSE. Na? lei'st uff a Uhr'n? *(Sie schlägt das Fenster zu.)*

(Liese rennt in den Stall und dann mit einem Tüchelchen
10 *um den Kopf zum Hofe hinaus. Frau Spiller erscheint in der Hausthür.)*

FRAU SPILLER *(ruft)*. Fräulein Helene! . . . .
. . . . gnädiges Fräulein Helene!

HELENE. Was nur da los sein mag.

15 FRAU SPILLER *(sich der Laube nähernd)*. Fräulein Helene.

HELENE. Ach! das wird's sein! – die Schwester. Geh fort!
da herum. *(Loth schnell links vorn ab. Helene tritt aus der Laube.)*

FRAU SPILLER. Fräulein . . . . . ! ach da sind Sie end-
20 lich.

HELENE. Was is denn?

FRAU SPILLER. Aach – m – bei Frau Schwester *(flüstert ihr etwas in's Ohr)* – m – m –

HELENE. Mein Schwager hat anbefohlen, für den Fall, so-
25 fort nach dem Arzt zu schicken.

FRAU SPILLER. Gnädiges Fräulein – m – sie will doch aber –
m – will doch aber keinen Arzt – m – die Ärzte, aach die –
m – Ärzte! – m – mit Gottes Beistand . . .
(Miele kommt aus dem Hause.)

30 HELENE. Miele! gehen Sie augenblicklich zum Dr. Schimmelpfennig.

FRAU SPILLER. Aber Fräulein . . . .

FRAU KRAUSE *(aus dem Fenster, gebieterisch).* Miele! Du kimmst ruff!

HELENE *(ebenso).* Sie gehen zum Arzt, Miele. *(Miele zieht sich in's Haus zurück.)* Nun, dann will ich selbst . . . . *(sie geht in's Haus und kommt, den Strohhut am Arm, sogleich zurück).*

FRAU SPILLER. Dann – m – wird es schlimm. Wenn Sie den Arzt holen – m – gnädiges Fräulein, dann – m – wird es gewiß schlimm.

(Helene geht an ihr vorüber. Frau Spiller zieht sich kopfschüttelnd ins Haus zurück. Als Helene in die Hofeinfahrt biegt, steht Kahl am Grenzzaun.)

KAHL *(ruft Helenen zu).* Woas iis denn bei Eich luus? *(Helene hält im Lauf nicht inne, noch würdigt sie Kahl eines Blickes oder einer Antwort.)*

KAHL *(lachend).* Ihr ha't wull Schweinschlachta?

Fünfter Akt.

Das Zimmer wie im ersten Akt. Zeit: gegen 2 Uhr Nachts. Im Zimmer herrscht Dunkelheit. Durch die offene Mittelthür dringt Licht aus dem erleuchteten Hausflur. Deutlich beleuchtet ist auch noch die Holztreppe in dem ersten Stock. Alles in diesem Akt – bis auf wenige Ausnahmen – wird in einem gedämpften Tone gesprochen.

(Eduard mit Licht tritt durch die Mittelthür ein. Er entzündet die Hängelampe über dem Eßtisch (Gasbeleuchtung). Als er damit beschäftigt ist, kommt Loth ebenfalls durch die Mittelthür.)

EDUARD. Ja ja! – bei d i e Zucht . . . . 't muß reen unmenschen meglich sint, een Oge zuzuthun.

LOTH. Ich wollte nicht 'mal schlafen. Ich habe geschrieben.

EDUARD. Ach wat! *(Er steckt an.)* So! – na jewiß! – et mag ja woll schwer jenug sin . . . . . Wünschen der Herr Doctor vielleicht Dinte und Feder?

LOTH. Am Ende . . . wenn Sie so freundlich sein wollen, Herr Eduard.

EDUARD *(indem er Dinte und Feder auf den Tisch setzt).* Ik meen all immer: was 'n ehrlicher Mann is, der muß Haut und Knochen dransetzen um jeden lumpichten Jroschen. Nich 'mal det bisken Nachtruhe hat man. – *(Immer vertraulicher:)* Aber d i e Nation hier, die duht reen jar nischt; so'n faules, nichtsnutziges Pack, so'n . . . der Herr Doctor mussen jewiß ooch all dichtig in't Zeuch jehn, um det bisken Leben s u n t e r h a l t, wie alle ehrlichen Leute.

LOTH. Wünschte, ich brauchte es nicht!

EDUARD. Na, wat meen' Se woll! ik ooch!

LOTH. Fräulein Helene ist wohl bei ihrer Schwester?

EDUARD. Allet wat wahr is: d' is 'n jutes Mä'chen! jeht ihr nich von der Seite.

LOTH *(sieht auf die Uhr).* Um 11 Uhr früh begannen die Wehen. Sie dauern also . . . fünfzehn Stunden dauern sie jetzt bereits. – Fünfzehn lange Stunden –!

EDUARD. Weeß Jott! – und det benimen se nu 't schwache Jeschlecht – sie jappt aber ooch man nur noch so.

LOTH. Herr Hoffmann ist auch oben!?

EDUARD. Und ick sag Ihnen, 't reene Weib.

LOTH. Das mit anzusehen ist wohl auch keine Kleinigkeit.

EDUARD. I! nu! det will ik meenen! Na! eben is Doctor Schimmelpfennig zujekommen. Det is 'n Mann sag' ik Ihnen: jrob wie 'ne Sackstrippe, aber – Zucker is 'n dummer Junge dajejen. Sagen Sie man blos, wat is aus det olle Berlin . . . . *(Er unterbricht sich mit einem.)* Jott Strambach! *(Da Hoffmann und der Doctor die Treppe herunter kommen.)*

(Hoffmann und Doctor Schimmelpfennig treten ein.)

HOFFMANN. Jetzt – bleiben Sie doch wohl bei uns.

DR. SCHIMMELPFENNIG. Ja! jetzt werde ich hier bleiben.

HOFFMANN. Das ist mir eine große, große Beruhigung. – Ein Glas Wein . . . ? Sie trinken doch ein Glas Wein, Herr Doctor!?

DR. SCHIMMELPFENNIG. Wenn Sie etwas thun wollen, dann lassen Sie mir schon lieber eine Tasse Caffee brauen.

HOFFMANN. Mit Vergnügen. – Eduard! Caffee – für Herrn Doctor! *(Eduard ab.)* Sie sind . . . . . ? Sind Sie zufrieden mit dem Verlauf?

DR. SCHIMMELPFENNIG. So lange Ihre Frau Kraft behält[,] ist jedenfalls directe Gefahr nicht vorhanden. Warum haben Sie übrigens die junge Hebamme nicht zugezogen? Ich hatte Ihnen doch eine empfohlen so viel ich weiß.

5 HOFFMANN. Meine Schwiegermama . . . was soll man machen? Wenn ich ehrlich sein soll: auch meine Frau hatte kein Vertrauen zu der jungen Person.

DR. SCHIMMELPFENNIG. Und zu diesem fossilen Gespenst haben Ihre Damen Vertrauen?! wohl bekomms! –

10 Sie möchten gern wieder hinauf?

HOFFMANN. Ehrlich gesagt: ich habe nicht viel Ruhe hier unten.

DR. SCHIMMELPFENNIG. Besser wär's freilich Sie gingen irgend wohin, aus dem Hause.

15 HOFFMANN. Beim besten Willen das . . . . ach, Loth! da bist Du ja auch noch. *(Loth erhebt sich von dem Sopha im dunklen Vordergrunde und geht auf die Beiden zu.)*

DR. SCHIMMELPFENNIG *(aufs Äußerste überrascht)*. Donnerwetter!

20 LOTH. Ich hörte schon, daß Du hier seist. Morgen hätte ich Dich unbedingt aufgesucht. *(Beide schütteln sich tüchtig die Hände. Hoffmann benutzt den Augenblick[,] am Buffet schnell ein Glas Cognac hinunterzuspülen, darauf dann sich auf den Zehen hinaus und die Holztreppe hin-*
25 *auf zu schleichen.)*

(Das Gespräch der beiden Freunde steht am Anfang unverkennbar unter dem Einfluß einer gewissen leisen Zurückhaltung.)

DR. SCHIMMELPFENNIG. Du hast also wohl . . . ha ha
30 ha die alte, dumme Geschichte vergessen? *(Er legt Hut und Stock bei Seite.)*

LOTH. Längst vergessen, Schimmel!

DR. SCHIMMELPFENNIG. Na, ich auch! das kannst Du Dir denken. – *(Sie schütteln sich nochmals die Hände.)* Ich habe in dem Nest hier so wenig freudige Überraschungen gehabt, daß mir die Sache ganz curios vorkommt. Merkwürdig! Gerade hier treffen wir uns. – Merkwürdig!

LOTH. Rein verschollen bist Du ja, Schimmel! hätte Dich sonst längst mal umgestoßen.

DR. SCHIMMELPFENNIG. Unter Wasser gegangen wie ein Seehund. Tiefseeforschungen gemacht. In anderthalb Jahren etwa hoffe ich wieder aufzutauchen. Man muß materiell unabhängig sein, wissen Sie . . . weißt Du! wenn man etwas Brauchbares leisten will.

LOTH. Also Du machst a u c h Geld hier?

DR. SCHIMMELPFENNIG. Natürlicherweise[,] und zwar so viel als möglich. Was sollte man hier auch anderes thun?

LOTH. Du hätt'st doch 'mal was von Dir hören lassen sollen.

DR. SCHIMMELPFENNIG. Erlauben Sie . . . erlaube, hätte ich von mir was hören lassen, dann hätte ich von Euch was wieder gehört, und ich wollte durchaus nichts hören. Nichts, – gar nichts, das hätte mich höchstens von meiner Goldwäscherei abhalten können. *(Beide gehen langsamen Schritts auf und ab im Zimmer.)*

LOTH. Na ja – Du kannst Dich dann aber auch nicht wundern, daß sie . . . nämlich ich muß Dir sagen, sie haben Dich eigentlich Alle, durch die Bank, aufgegeben.

DR. SCHIMMELPFENNIG. Sieht ihnen ähnlich. – Bande! – sollen schon was merken.

LOTH. Schimmel, genannt: das Rauhbein!

DR. SCHIMMELPFENNIG. Du solltest nur sechs Jahre unter diesen Bauern gelebt haben. Himmelhunde alle miteinander.

LOTH. Das kann ich mir denken. – Wie bist Du denn gerade nach Witzdorf gekommen?

DR. SCHIMMELPFENNIG. Wie's so geht: damals mußte ich doch auskneifen, von Jena weg.

LOTH. War das vor meinem Reinfall?

DR. SCHIMMELPFENNIG. Ja wohl. Kurze Zeit nachdem wir unser Zusammenleben aufgesteckt hatten. In Zürich legte ich mich dann auf die Medicinerei, zunächst um etwas für den Nothfall zu haben; dann fing aber die Sache an mich zu interessiren, und jetzt bin ich mit Leib und Seele Medicus.

LOTH. Und hierher . . . ? Wie kamst Du hier her?

DR. SCHIMMELPFENNIG. Ach so! – einfach! als ich fertig war, da sagte ich mir: nun vor allen Dingen einen hinreichenden Haufen Kies. Ich dachte an Amerika, Süd- und Nord-Amerika, an Afrika, Australien, die Sundainseln . . . . . am Ende fiel mir ein, daß mein Knabenstreich ja mittlerweile verjährt war, da habe ich mich denn entschlossen in die Mausefalle zurückzukriechen.

LOTH. Und Dein Schweizer Examen?

DR. SCHIMMELPFENNIG. Ich mußte eben die Geschichte hier noch mal über mich ergehen lassen.

LOTH. Du hast also das Staatsexamen zwei Mal gemacht, Kerl!?

DR. SCHIMMELPFENNIG. Ja! – schließlich habe ich dann glücklicherweise diese fette Weide hier ausfindig gemacht.

LOTH. Du bist zähe, zum beneiden.

DR. SCHIMMELPFENNIG. Wenn man nur nicht plötzlich

mal zusammenklappt. – Na! schließlich ist's auch kein Unglück.

LOTH. Hast Du denn 'ne große Praxis?

DR. SCHIMMELPFENNIG. Ja! Mitunter komme ich erst um fünf Uhr früh zu Bett, um sieben Uhr fängt dann bereits wieder meine Sprechstunde an.

(Eduard kommt und bringt Caffee.)

DR. SCHIMMELPFENNIG *(indem er sich am Tisch niederläßt, zu Eduard).* Danke Eduard! – *(Zu Loth:)* Caffee saufe ich . . . unheimlich.

LOTH. Du solltest das lieber lassen mit dem Caffee.

DR. SCHIMMELPFENNIG. Was soll man machen. *(Er nimmt kleine Schlucke.)* Wie gesagt – ein Jahr noch, dann – hört's auf . . . hoffentlich wenigstens.

LOTH. Willst Du dann gar nicht mehr practicieren?

DR. SCHIMMELPFENNIG. Glaube nicht. Nein . . . nicht mehr. *(Er schiebt das Tablet mit dem Caffeegeschirr zurück, wischt sich den Mund.)* Übrigens – zeig' mal Deine Hand. *(Loth hält ihm beide Hände hin.)* Nein? – keine Dalekarlierin heimgeführt? – keine gefunden, wie? . . . . Wolltest doch immer so 'n Ur- und Kernweib von wegen des gesunden Blutes. Hast übrigens recht: wenn schon, denn schon . . . oder nimmst Du's in dieser Beziehung etwa nicht mehr so genau?

LOTH. Na ob . . . ! und wie!

DR. SCHIMMELPFENNIG. Ach, wenn die Bauern hier doch auch solche Ideen hätten. Damit sieht's aber jämmerlich aus, sage ich Dir, Degeneration auf der ganzen . . . *(Er hat seine Cigarrentasche halb aus der Brusttasche gezogen, läßt sie aber wieder zurückgleiten und steht auf, als irgend ein Laut durch die nur angelehnte Hausflurthür*

hereindringt.) Wart mal! *(Er geht auf den Zehen bis zur
Hausflurthür und horcht. Eine Thür geht draußen, man
hört einige Augenblicke deutlich das Wimmern der
Wöchnerin. Der Doctor sagt, zu Loth gewandt, leise.)*
5 Entschuldige! *(und geht hinaus.)*
*(Einige Augenblicke durchmißt Loth, während draußen
Thüren schlagen, Menschen die Treppe auf und ablaufen,
das Zimmer; dann setzt er sich in den Lehnsessel rechts
vorn. Helene huscht herein und umschlingt Loth, der ihr
10 Kommen nicht bemerkt hat, von rückwärts.)*

LOTH *(sich umblickend, sie ebenfalls umfassend)*. Lenchen!!
*(Er zieht sie zu sich herunter und trotz gelinden Sträubens
auf sein Knie. Helene weint unter den Küssen, die er ihr
giebt).*

15 LOTH. Ach weine doch nicht, Lenchen! warum weinst Du
denn so sehr?

HELENE. Warum? weiß ich's?! . . . .
Ich denk' immer, ich – treff' Dich nicht mehr. Vorhin habe ich mich so erschrocken . . . .

20 LOTH. Weshalb denn?

HELENE. Weil ich Dich aus Deinem Zimmer treten hörte –
ach! . . . und die Schwester – wir armen, armen Weiber! – die muß zu sehr ausstehen.

LOTH. Der Schmerz vergißt sich schnell und auf den Tod
25 geht's ja nicht.

HELENE. Ach, Du! sie wünscht sich ihn ja . . . sie jam-
mert nur immer so: laßt mich doch sterben; . . . der
Doctor! *(Sie springt auf und huscht in den Wintergarten.)*

DR. SCHIMMELPFENNIG *(im Hereintreten)*. Nun wünsch-
30 te ich wirklich, daß sich das Frauchen da oben 'n Bissel
beeilte! *(Er läßt sich am Tisch nieder, zieht neuerdings die*

Cigarrentasche, entnimmt ihr eine Cigarre und legt diese
neben sich.) Du kommst mit zu mir dann, wie? – hab'
draußen so 'n nothwendiges Übel mit zwei Gäulen davor, da können wir drin zu mir fahren. *(Seine Cigarre an*
der Tischkante klopfend:) Der süße Ehestand! ja, ja! *(ein* 5
Zündholz anstreichend) also noch frisch, frei, fromm,
froh?

LOTH. Hättest noch gut ein paar Tage warten können mit
Deiner Frage.

DR. SCHIMMELPFENNIG *(bereits mit brennender Cigarre).* 10
Wie? . . . ach . . . ach so! *(lachend)* also endlich
doch auf meine Sprünge gekommen.

LOTH. Bist Du wirklich noch so entsetzlich pessimistisch
in Bezug auf Weiber?

DR. SCHIMMELPFENNIG. Ent – setzlich!!! *(Dem Rauch* 15
seiner Cigarre nachblickend:) Früher war ich Pessimist –
so zu sagen ahnungsweise . . .

LOTH. Hast Du denn inzwischen so besondere Erfahrungen gemacht?

DR. SCHIMMELPFENNIG. Ja, allerdings! – auf meinem 20
Schilde steht nämlich: Specialist für Frauenkrankhei-
ten. – Die medicinische Praxis macht nämlich furchtbar
klug . . . furchtbar – gesund, . . . ist Specificum
gegen . . . allerlei Staupen!

LOTH *(lacht).* Na, da könnten wir ja gleich wieder in der al- 25
ten Tonart anfangen. Ich hab' nämlich . . . ich bin
nämlich keineswegs auf Deine Sprünge gekommen.
Jetzt weniger als je! . . . .
auf diese Weise hast Du wohl auch Dein Steckenpferd
vertauscht? 30

DR. SCHIMMELPFENNIG. Steckenpferd?

LOTH. Die Frauenfrage war doch zu damaliger Zeit gewissermaßen Dein Steckenpferd!

DR. SCHIMMELPFENNIG. Ach so! – warum sollte ich es vertauscht haben?

LOTH. Wenn Du über die Weiber noch schlechter denkst, als . . .

DR. SCHIMMELPFENNIG *(ein wenig in Harnisch, erhebt sich und geht hin und her, dabei spricht er).* Ich – denke nicht schlecht von den Weibern. – Kein Bein! – nur über das Heirathen denke ich schlecht . . . über die Ehe . . . über die Ehe, und dann höchstens noch über die Männer denke ich schlecht . . . . Die Frauenfrage soll mich nicht mehr interessiren? Ja, weshalb hätte ich denn sonst sechs lange Jahre hier wie 'n Lastpferd gearbeitet? doch nur um alle meine verfügbaren Kräfte endlich 'mal ganz der Lösung dieser Frage zu widmen. Wußtest Du denn das nicht von Anfang an?

LOTH. Wo hätte ich's denn h e r wissen sollen?

DR. SCHIMMELPFENNIG. Na, wie gesagt . . . ich hab' auch schon ein ziemlich ausgiebiges Material gesammelt, das mir gute Dienste leisten . . . bsst! ich hab' mir das Schreien so angewöhnt. *(Er schweigt, horcht, geht zur Thür und kommt zurück.)* Was hat D i c h denn eigentlich unter die Goldbauern geführt?

LOTH. Ich möchte die hiesigen Verhältnisse studiren.

DR. SCHIMMELPFENNIG *(mit gedämpfter Stimme).* Idee! *(noch leiser)* da kannst Du bei mir auch Material bekommen.

LOTH. Freilich, Du mußt ja sehr unterrichtet sein über die Zustände hier. Wie sieht es denn so in den Familien aus?

DR. SCHIMMELPFENNIG. E–lend! . . . . . durchgängig . . . Suff! Völlerei, Inzucht und in Folge davon, Degenerationen auf der ganzen Linie.

LOTH. Mit Ausnahmen doch!?

DR. SCHIMMELPFENNIG. Kaum!

LOTH (*unruhig*). Bist Du denn nicht zuweilen in . . . in Versuchung gerathen eine . . . eine Witzdorfer Goldtochter zu heirathen?

DR. SCHIMMELPFENNIG. Pfui Teufel!!! Kerl, für was hältst Du mich? – ebenso könntest Du mich fragen, ob ich . . .

LOTH (*sehr bleich*). Wie . . . wieso?

DR. SCHIMMELPFENNIG. Weil . . . ist Dir was? (*Er fixirt ihn einige Augenblicke.*)

LOTH. Gar nichts! was soll mir denn sein?

DR. SCHIMMELPFENNIG (*ist plötzlich sehr nachdenklich, geht und steht jäh und mit einem leisen Pfiff still, blickt Loth abermals flüchtig an und sagt dann halblaut zu sich selbst*). Schlimm!

LOTH. Du bist ja so sonderbar plötzlich.

DR. SCHIMMELPFENNIG. Still! (*Er horcht auf und verläßt dann schnell das Zimmer durch die Mittelthür.*)

HELENE (*nach einigen Augenblicken durch die Mittelthür, sie ruft*). Alfred! – Alfred! . . . ach da bist Du – Gott sei Dank!

LOTH. Nun, ich sollte wohl am Ende gar fortgelaufen sein? (*Umarmung.*)

HELENE (*biegt sich zurück. Mit unverkennbarem Schrecken im Ausdruck*). Alfred!

LOTH. Was denn Liebste?

HELENE. Nichts, nichts!

LOTH. Aber Du mußt doch was haben?

HELENE. Du kamst mir so . . . so kalt . . . Ach, ich hab' solche schrecklich dumme Einbildungen.

LOTH. Wie steht's denn oben?

HELENE. Der Doctor zankt mit der Hebamme.

LOTH. Wird's nicht bald zu Ende gehen?

HELENE. Weiß ich's? – Aber wenn's . . . wenn's zu Ende ist, meine ich, dann . . .

LOTH. Was dann? . . . . sag' doch, bitte! was wolltest Du sagen?

HELENE. Dann sollten wir bald von hier fortgehen. Gleich! auf der Stelle.

LOTH. Wenn Du das wirklich für das Beste hältst, Lenchen –

HELENE. Ja, ja! wir dürfen nicht warten! Es ist das Beste – für Dich und mich. Wenn Du mich nicht jetzt bald nimmst, dann läßt Du mich heilig noch sitzen, und dann . . . dann . . . muß ich doch noch zu Grunde gehen.

LOTH. Wie Du doch mißtrauisch bist, Lenchen!

HELENE. Sag das nicht, Liebster! Dir traut man, Dir muß man trauen! . . . . Wenn ich erst Dein bin, dann . . . Du verläßt mich dann ganz gewiß nicht mehr. *(Wie außer sich:)* Ich beschwöre Dich! geh' nicht fort! Verlaß mich doch nur nicht. Geh' – nicht fort, Alfred! Alles ist aus, Alles, wenn Du einmal ohne mich von hier fortgehst.

LOTH. Merkwürdig bist Du doch! . . . . . Und da willst Du nicht mißtrauisch sein? . . . Oder sie plagen Dich, martern Dich hier ganz entsetzlich, mehr als ich mir je . . . . Jedenfalls gehen wir aber noch diese Nacht. Ich bin bereit. Sobald Du willst, gehen wir also.

HELENE (*gleichsam mit aufjauchzendem Dank ihm um den Hals fallend*). Geliebter! (*Sie küßt ihn wie rasend und eilt schnell davon.*)

(*Dr. Schimmelpfennig tritt durch die Mitte ein; er bemerkt noch, wie Helene in der Wintergartenthür verschwindet.*)

DR. SCHIMMELPFENNIG. Wer war das? – Ach so! (*In sich hinein:*) Armes Ding! (*Er läßt sich mit einem Seufzer am Tisch nieder, findet die alte Cigarre, wirft sie bei Seite, entnimmt dem Etui eine frische Cigarre und fängt an, sie an der Tischkante zu klopfen, wobei er nachdenklich darüber hinausstarrt.*)

LOTH (*der ihm zuschaut*). Genau so pflegtest Du vor acht Jahren jede Cigarre abzuklopfen, eh' Du zu rauchen anfingst.

DR. SCHIMMELPFENNIG. Möglich –! (*Als er mit Anrauchen fertig ist:*) Hör' mal, Du!

LOTH. Ja, was denn?

DR. SCHIMMELPFENNIG. Du wirst doch – so bald die Geschichte oben vorüber ist, mit zu mir kommen?

LOTH. Das geht wirklich nicht! Leider.

DR. SCHIMMELPFENNIG. Man hat so das Bedürfniß, sich mal wieder gründlich von der Leber weg zu äußern.

LOTH. Das hab ich genau so wie Du. Aber gerade daraus kannst Du sehen, daß es absolut heut nicht in meiner Macht steht, mit Dir . . . . .

DR. SCHIMMELPFENNIG. Wenn ich Dir nun aber ausdrücklich und – gewissermaßen feierlich erkläre: Es ist eine bestimmte, äußerst wichtige Angelegenheit, die ich mit Dir noch diese Nacht besprechen möchte . . . . besprechen muß sogar, Loth!

LOTH. Curios! Für blutigen Ernst soll ich doch das nicht etwa hinnehmen?! doch wohl nicht? – So viel Jahre hätt'st Du damit gewartet und nun hätte es nicht einen Tag mehr Zeit damit? – Du kannst Dir doch wohl denken, daß ich Dir keine Flausen vormache.

DR. SCHIMMELPFENNIG. Also hat's doch seine Richtigkeit! *(Er steht auf und geht umher.)*

LOTH. Was hat seine Richtigkeit?

DR. SCHIMMELPFENNIG *(vor Loth still stehend, mit einem geraden Blick in seine Augen).* Es ist also wirklich etwas im Gange zwischen Dir und Helene Krause?

LOTH. Ich? – Wer hat Dir denn . . . ?

DR. SCHIMMELPFENNIG. Wie bist Du nur in d i e s e Familie . . . . ?

LOTH. Woher – weißt Du denn das, Mensch?

DR. SCHIMMELPFENNIG. Das war ja doch nicht schwer zu errathen.

LOTH. Na, dann halt um Gottes Willen den Mund, daß nicht . . . .

DR. SCHIMMELPFENNIG. Ihr seid also richtig verlobt?!

LOTH. Wie man's nimmt. Jedenfalls sind wir Beiden einig.

DR. SCHIMMELPFENNIG. Hm –! wie bist Du denn hier herein gerathen, gerade in d i e s e Familie?

LOTH. Hoffmann ist ja doch mein Schulfreund. Er war auch Mitglied – auswärtiges allerdings – Mitglied meines Colonial-Vereins.

DR. SCHIMMELPFENNIG. Von der Sache hörte ich in Zürich. – Also mit Dir ist er umgegangen! Auf die Weise wird mir der traurige Zwitter erklärlich.

LOTH. Ein Zwitter ist er allerdings.

DR. SCHIMMELPFENNIG. Eigentlich nicht mal d a s. –

Ehrlich, Du! – Ist das wirklich Dein Ernst? – die Geschichte mit der Krause?

LOTH. Na, selbstverständlich! – Zweifelst Du daran? Du
wirst mich doch nicht etwa für einen Schuft . . .

DR. SCHIMMELPFENNIG. Schon gut! Ereifere Dich nur
nicht. Hättst Dich ja verändert haben können während
der langen Zeit. Warum nicht? Wär auch gar kein Nach-
theil! 'n bissel Humor könnte Dir gar nicht schaden! Ich
seh nicht ein, warum man Alles so verflucht ernsthaft
nehmen sollte.

LOTH. Ernst ist es mir mehr als je. *(Er erhebt sich und
geht, immer ein wenig zurück, neben Schimmelpfennig
her.)* Du kannst es ja nicht wissen, auch sagen kann
ich's Dir nicht mal, was dieses Verhältniß für mich bedeutet.

DR. SCHIMMELPFENNIG. Hm!

LOTH. Kerl, Du hast keine Idee, was das für ein Zustand ist.
Man kennt ihn nicht, wenn man sich danach sehnt.
Kennte man ihn, dann, dann müßte man geradezu un-
sinnig werden vor Sehnsucht.

DR. SCHIMMELPFENNIG. Das begreife der Teufel, wie Ihr
zu dieser unsinnigen Sehnsucht kommt.

LOTH. Du bist auch noch nicht sicher davor.

DR. SCHIMMELPFENNIG. Das möcht ich mal sehen!

LOTH. Du redst wie der Blinde von der Farbe.

DR. SCHIMMELPFENNIG. Was ich mir für das bischen
Rausch koofe! lächerlich. Darauf eine lebenslängliche
Ehe zu bauen . . . . da baut man noch nicht mal so
sicher, als auf 'n Sandhaufen.

LOTH. Rausch – Rausch – wer von einem Rausch redet –
na! der kennt die Sache eben nicht. 'n Rausch ist flüchtig.

Solche Räusche hab ich schon gehabt, ich geb's zu. Aber
das ist was ganz Anderes.

DR. SCHIMMELPFENNIG. Hm!

LOTH. Ich bin dabei vollständig nüchtern. Denkst Du, daß
ich meine Liebste so – na, wie soll ich sagen – so mit 'ner –
na, wie soll ich sagen, mit 'ner großen Glorie sehe? Gar
nicht! – Sie hat Fehler, ist auch nicht besonders schön,
wenigstens – na, häßlich ist sie auch gerade nicht. Ganz
objectiv geurtheilt, ich – das ist ja schließlich Ge-
schmackssache – ich hab so'n hübsches Mädel noch nicht
gesehen. Also, Rausch – Unsinn! Ich bin ja so nüchtern,
wie nur möglich. Aber, siehst Du! das ist eben das Merk-
würdige: ich kann mich gar nicht mehr ohne sie denken –
das kommt mir so vor wie 'ne Legirung, weißt Du, wie
wenn zwei Metalle so recht innig legirt sind, daß man gar
nicht mehr sagen kann, das ist das, das ist das. Und Alles so furchtbar selbstverständlich – kurzum, ich quat-
sche vielleicht Unsinn – oder was ich sage[,] ist vielleicht
in Deinen Augen Unsinn, aber so viel steht fest: wer das
nicht kennt, ist 'n erbärmlicher Frosch. Und so'n Frosch
war ich bisher – und so'n Jammerfrosch bist Du noch.

DR. SCHIMMELPFENNIG. Da ist ja richtig der ganze
Symptomen-Complex. – Daß Ihr Kerls doch immer bis
über die Ohren in Dinge hineingerathet, die Ihr theoretisch längst verworfen habt, wie zum Beispiel Du die
Ehe. So lange ich Dich kenne, laborirst Du an dieser unglückseligen Ehemanie.

LOTH. Es ist Trieb bei mir, geradezu Trieb. Weiß Gott! mag
ich mich wenden, wie ich will.

DR. SCHIMMELPFENNIG. Man kann schließlich auch einen Trieb niederkämpfen.

LOTH. Ja, wenn's 'n Zweck hat, warum nicht?

DR. SCHIMMELPFENNIG. Hat's Heirathen etwa Zweck?

LOTH. Das will ich meinen. Das hat Zweck! Bei mir hat es Zweck. Du weißt nicht, wie ich mich durchgefressen hab bis hierher. Ich mag nicht sentimental werden. Ich hab's auch vielleicht nicht so gefühlt, es ist mir vielleicht nicht ganz so klar bewußt geworden wie jetzt, daß ich in meinem Streben etwas entsetzlich ödes, gleichsam maschinenmäßiges angenommen hatte. Kein Geist, kein Temperament, kein Leben, ja wer weiß, war noch Glauben in mir? Das Alles kommt seit . . . seit heut wieder in mich gezogen. So merkwürdig voll, so ursprünglich, so fröhlich . . . Unsinn, Du capirst's ja doch nicht.

DR. SCHIMMELPFENNIG. Was Ihr da Alles nöthig habt, um flott zu bleiben, Glaube, Liebe, Hoffnung. Für mich ist das Kram. Es ist eine ganz simple Sache: die Menschheit liegt in der Agonie, und unser einer macht ihr mit Narkoticis die Sache so erträglich als möglich.

LOTH. Dein neuester Standpunkt?

DR. SCHIMMELPFENNIG. Schon fünf bis sechs Jahre alt und immer derselbe.

LOTH. Gratulire!

DR. SCHIMMELPFENNIG. Danke!

(Eine lange Pause.)

DR. SCHIMMELPFENNIG *(nach einigen unruhigen Anläufen)*. Die Geschichte ist leider die: ich halte mich für verpflichtet . . . ich schulde Dir unbedingt eine Aufklärung. Du wirst Helene Krause, glaub' ich, nicht heirathen können.

LOTH *(kalt)*. So, glaubst Du?

DR. SCHIMMELPFENNIG. Ja, ich bin der Meinung. Es sind
da Hindernisse vorhanden, die gerade Dir . . .

LOTH. Hör' 'mal Du: mach' Dir darüber um Gottes Willen
keine Scrupel. Die Verhältnisse liegen auch gar nicht
'mal so complicirt, sind im Grunde sogar furchtbar einfach.

DR. SCHIMMELPFENNIG. Einfach furchtbar solltest Du
eher sagen.

LOTH. Ich meine[,] was die Hindernisse anbetrifft.

DR. SCHIMMELPFENNIG. Ich auch zum Theil. Aber auch
überhaupt: ich kann mir nicht denken, daß Du diese
Verhältnisse hier kennen solltest.

LOTH. Ich kenne sie aber doch ziemlich genau.

DR. SCHIMMELPFENNIG. Dann mußt Du nothwendiger-
weise Deine Grundsätze geändert haben.

LOTH. Bitte, Schimmel, drück' Dich etwas deutlicher aus.

DR. SCHIMMELPFENNIG. Du mußt unbedingt Deine
Hauptforderung in Bezug auf die Ehe fallen gelassen haben, obgleich Du vorhin durchblicken ließt, es käme Dir
nach wie vor darauf an, ein an Leib und Seele gesundes
Geschlecht in die Welt zu setzen.

LOTH. Fallen gelassen? . . . . fallen gelassen? wie soll
ich denn das . . .

DR. SCHIMMELPFENNIG. Dann bleibt nichts übrig . . . .
dann kennst Du eben doch die Verhältnisse nicht. Dann
weißt Du zum Beispiel nicht, daß Hoffmann einen Sohn
hatte, der mit drei Jahren bereits am Alkoholismus zu
Grunde ging.

LOTH. Wa . . . was – sagst Du?

DR. SCHIMMELPFENNIG. 's thut mir leid, Loth, aber sagen
muß ich Dir's doch, Du kannst ja dann noch machen,

was Du willst. Die Sache war kein Spaß. Sie waren gerade wie jetzt zum Besuch hier. Sie ließen mich holen, eine halbe Stunde zu spät. Der kleine Kerl hatte längst verblutet.

(Loth mit den Zeichen tiefer, furchtbarer Erschütterung an des Doctor's Munde hängend.)

DR. SCHIMMELPFENNIG. Nach der Essigflasche hatte das dumme Kerlchen gelangt in der Meinung, sein geliebter Fusel sei darin. Die Flasche war herunter und das Kind in die Scherben gefallen. Hier unten siehst Du die vena saphena, die hatte es sich vollständig durchschnitten.

LOTH. W . . . w . . . essen Kind sagst Du . . . . ?

DR. SCHIMMELPFENNIG. Hoffmann's und eben derselben Frau Kind, die da oben wieder . . . und auch die trinkt, trinkt bis zur Besinnungslosigkeit, trinkt soviel sie bekommen kann.

LOTH. Also von Hoffmann . . . Hoffmann geht es nicht aus?!

DR. SCHIMMELPFENNIG. Bewahre! das ist tragisch an dem Menschen, er leidet darunter so viel er überhaupt leiden kann. Im Übrigen hat er's gewußt, daß er in eine Potatorenfamilie hinein kam. Der Bauer nämlich kommt überhaupt gar nicht mehr aus dem Wirthshaus.

LOTH. Dann freilich – begreife ich Manches – nein! Alles begreife ich – Alles. *(Nach einem dumpfen Schweigen:)* Dann ist ihr Leben hier . . . . Helenens Leben – ein . . . ein – wie soll ich sagen? mir fehlt der Ausdruck dafür – . . . nicht?

DR. SCHIMMELPFENNIG. Horrend geradezu! das kann ich beurtheilen. Daß Du bei ihr hängen bliebst, war mir auch von Anfang an sehr begreiflich. Aber wie ges . . .

LOTH. Schon gut! – verstehe! . . . .
. . . .
thut denn . . . ? könnte man nicht vielleicht . . . ?
vielleicht könnte man Hoffmann bewegen etwas . . .
etwas zu thun? Könntest Du nicht vielleicht – ihn zu etwas bewegen? man müßte sie fortbringen aus dieser
Sumpfluft.

DR. SCHIMMELPFENNIG. Hoffmann?

LOTH. Ja, Hoffmann.

DR. SCHIMMELPFENNIG. Du kennst ihn schlecht . . .
ich glaube zwar nicht, daß er sie schon verdorben hat.
Aber ihren Ruf hat er sicherlich jetzt schon verdorben.

LOTH (aufbrausend). Wenn das ist: ich schlag ihn . . . . .
glaubst Du wirklich . . . ? hältst Du Hoffmann wirklich für fähig . . . ?

DR. SCHIMMELPFENNIG. Zu Allem, zu Allem halte ich
ihn fähig, wenn für ihn ein Vergnügen dabei heraus
springt.

LOTH. Dann ist sie – das keuscheste Geschöpf, was es
giebt . . . .
(Loth nimmt langsam Hut und Stock und hängt sich sein
Täschchen um.)

DR. SCHIMMELPFENNIG. Was gedenkst Du zu thun,
Loth?

LOTH. . . . . . . nicht begegnen . . . . !

DR. SCHIMMELPFENNIG. Du bist also entschlossen?

LOTH. Wozu entschlossen?

DR. SCHIMMELPFENNIG. Euer Verhältniß aufzulösen.

LOTH. Wie sollt ich wohl dazu nicht entschlossen sein?

DR. SCHIMMELPFENNIG. Ich kann Dir als Arzt noch
sagen, daß Fälle bekannt sind, wo solche vererbte

Übel unterdrückt worden sind, und Du würdest ja gewiß Deinen Kindern eine rationelle Erziehung geben.

LOTH. Es mögen solche Fälle vorkommen.

DR. SCHIMMELPFENNIG. Und die Wahrscheinlichkeit ist vielleicht nicht so gering, daß . . .

LOTH. Das kann uns nichts helfen, Schimmel. So steht es: es giebt drei Möglichkeiten! entweder ich heirathe sie, und dann . . . . nein, dieser Ausweg existirt überhaupt nicht. Oder – die bewußte Kugel. Na ja, dann hätte man wenigstens Ruhe. Aber nein! so weit sind wir noch nicht, so was kann man sich einstweilen noch nicht leisten – also: Leben! kämpfen! – Weiter immer weiter. *(Sein Blick fällt auf den Tisch, er bemerkt, das von Eduard zurecht gestellte Schreibzeug, setzt sich, ergreift die Feder, zaudert, und sagt.)* Oder am Ende . . . ?

DR. SCHIMMELPFENNIG. Ich verspreche Dir, ihr die Lage so deutlich als möglich vorzustellen.

LOTH. Ja, ja! – nur eben . . . . ich kann nicht anders. *(Er schreibt, adressirt und cuvertirt. Er steht auf und reicht Schimmelpfennig die Hand.)* Im Übrigen verlasse ich mich – auf Dich.

DR. SCHIMMELPFENNIG. Du gehst zu mir, wie? Mein Kutscher soll Dich zu mir fahren.

LOTH. Sag mal, sollte man denn nicht wenigstens versuchen – sie aus den Händen dieses . . . dieses Menschen zu ziehen? . . . . Auf diese Weise wird sie doch unfehlbar noch seine Beute.

DR. SCHIMMELPFENNIG. Guter, bedauernswürdiger Kerl! Soll ich Dir was rathen? Nimm ihr nicht das . . . . das Wenige, was Du ihr noch übrig läßt.

LOTH *(tiefer Seufzer)*. Qual über . . . . hast vielleicht –
Recht – ja wohl, unbedingt sogar.
*(Man hört Jemand hastig die Treppe herunter kommen,
im nächsten Augenblick stürzt Hoffmann herein.)*

HOFFMANN. Herr Doctor, ich bitte Sie um Gottes Willen . . . sie ist ohnmächtig . . . . . die Wehen setzen aus . . . wollen Sie nicht endlich . . . . .

DR. SCHIMMELPFENNIG. Ich komme hinauf. *(Zu Loth be-
deutungsvoll:)* Auf Wiedersehen! *(Zu Hoffmann, der
ihm nachfolgen will:)* Herr Hoffmann, ich muß Sie bitten . . . eine Ablenkung oder Störung könnte ver-
hängnißvoll . . . . am liebsten wäre es mir, Sie blie-
ben hier unten.

HOFFMANN. Sie verlangen sehr viel, aber . . . na!

DR. SCHIMMELPFENNIG. Nicht mehr als billig. *(Ab.)*
(Hoffmann bleibt zurück.)

HOFFMANN *(bemerkt Loth)*. Ich zittere, die Aufregung
steckt mir in allen Gliedern. Sag' mal, Du willst fort?

LOTH. Ja.

HOFFMANN. Jetzt mitten in der Nacht?

LOTH. Nur bis zu Schimmelpfennig.

HOFFMANN. Ach so! Nun . . . . wie die Verhältnisse
sich gestaltet haben, ist es am Ende kein Vergnügen
mehr bei uns . . . Also leb recht . . .

LOTH. Ich danke für die Gastfreundschaft.

HOFFMANN. Und mit Deinem Plan, wie steht es da?

LOTH. Plan?

HOFFMANN. Deine Arbeit, Deine volkswirthschaftliche
Arbeit über unseren District, meine ich. Ich muß Dir sagen . . . ich möchte Dich sogar als Freund inständig
und herzlich bitten . . .

LOTH. Beunruhige Dich weiter nicht, morgen schon bin ich über alle Berge.

HOFFMANN. Das ist wirklich *(unterbricht sich).*

LOTH. Schön von Dir, wollt'st Du wohl sagen?

HOFFMANN. Das heißt – ja – in gewisser Hinsicht; übrigens Du entschuldigst mich, ich bin so entsetzlich aufgeregt. Zähle auf mich! die alten Freunde sind immer noch die besten. Adieu, Adieu.

(Ab durch die Mitte.)

LOTH *(wendet sich, bevor er zur Thür hinaustritt, noch einmal nach rückwärts und nimmt mit den Augen noch einmal den ganzen Raum in sein Gedächtniß auf. Hierauf zu sich).* Da könnt' ich ja nun wohl – gehen. *(Nach einem letzten Blick ab.)*

(Das Zimmer bleibt für einige Augenblicke leer. Man vernimmt gedämpfte Rufe und das Geräusch von Schritten, dann erscheint Hoffmann. Er zieht, sobald er die Thür hinter sich geschlossen hat, unverhältnißmäßig ruhig sein Notizbuch und rechnet etwas, hierbei unterbricht er sich und lauscht, wird unruhig, schreitet zur Thür und lauscht wieder. Plötzlich rennt Jemand die Treppe herunter[,] und herein stürzt Helene.)

HELENE *(noch außen).* Schwager! *(In der Thür:)* Schwager!

HOFFMANN. Was ist denn – los?

HELENE. Mach Dich gefaßt: todtgeboren!

HOFFMANN. Jesus Christus!!! *(Er stürzt davon.)*

(Helene allein.)

(Sie sieht sich um und ruft leise: Alfred! Alfred! *und dann, als sie keine Antwort erhält, in schneller Folge:* Alfred! Alfred! *Dabei ist sie bis zur Thür des Wintergartens geeilt, durch die sie spähend blickt. Dann ab in den*

Wintergarten. Nach einer Weile erscheint sie wieder: Alfred! *Immer unruhiger werdend, am Fenster, durch das
sie hinausblickt:* Alfred! *Sie öffnet das Fenster und
steigt auf einen davor stehenden Stuhl. In diesem Augenblick klingt deutlich vom Hofe herein das Geschrei des betrunkenen, aus dem Wirthshaus heimkehrenden Bauern,
ihres Vaters:* Dohie hä! biin iich nec a hibscher
Moan? Hoa' iich nee a hibsch Weib? Hoa'
iich nee a poar hibsche Tächter dohie hä? *Helene stößt einen kurzen Schrei aus und rennt wie gejagt
nach der Mittelthür. Von dort aus entdeckt sie den Brief,
welchen Loth auf dem Tisch zurückgelassen, sie stürzt
darauf, reißt ihn auf und durchfliegt ihn, einzelne Worte
aus seinem Inhalt laut hervorstoßend:* »Unübersteig-
lich!« . . . »Niemals wieder!« *Sie läßt den Brief
fallen, wankt:* Zu Ende! *Rafft sich auf, hält sich den
Kopf mit beiden Händen, kurz und scharf schreiend:* Zu
En-de! *Stürzt ab durch die Mitte. Der Bauer draußen,
schon aus geringerer Entfernung:* Dohie hä? iis
ernt's Gittla ne mei–ne? Hoa' iich ne a
hibsch Weib? Bin iich nee a hibscher Moan?
*Helene, immer noch suchend, wie eine halb Irrsinnige aus
dem Wintergarten hereinkommend, trifft auf Eduard, der
etwas aus Hoffmann's Zimmer zu holen geht. Sie redet
ihn an:* Eduard! *Er antwortet:* Gnädiges Fräulein?
Darauf sie: Ich möchte . . . möchte den Herrn
Dr. Loth . . . *Eduard antwortet:* Herr Dr. Loth
sind in des Herrn Dr. Schimmelpfennig's
Wagen fortgefahren! *Damit verschwindet er im
Zimmer Hoffmanns.* Wahr! *stößt Helene hervor und
hat einen Augenblick Mühe, aufrecht zu stehen. Im nächs-*

ten durchfährt sie eine verzweifelte Energie. Sie rennt nach dem Vordergrunde und ergreift den Hirschfänger sammt Gehänge, der an dem Hirschgeweih über dem Sopha befestigt ist. Sie verbirgt ihn und hält sich still im dunklen Vordergrund, bis Eduard, aus Hoffmanns Zimmer kommend, zur Mittelthür hinaus ist. Die Stimme des Bauern, immer deutlicher: Dohie hä, biin iich nee a hibscher Moan? *Auf diese Laute, wie auf ein Signal hin, springt Helene auf und verschwindet ihrerseits in Hoffmanns Zimmer. Das Hauptzimmer ist leer, und man hört fortgesetzt die Stimme des Bauern:* Dohie hä, hoa iich nee die schinsten Zähne, hä? Hoa iich nee a hibsch Gittla? *Miele kommt durch die Mittelthür. Sie blickt suchend umher und ruft:* Freilein Helene! *und wieder:* Freilein Helene! *Dazwischen die Stimme des Bauern:* 's Gald iis mei-ne! *Jetzt ist Miele ohne weiteres Zögern in Hoffmanns Zimmer verschwunden, dessen Thüre sie offen läßt. Im nächsten Augenblick stürzt sie heraus mit den Zeichen eines wahnsinnigen Schrecks; schreiend dreht sie sich zwei – dreimal um sich selber, schreiend jagt sie durch die Mittelthür. Ihr ununterbrochenes Schreien, mit der Entfernung immer schwächer werdend, ist noch einige weitere Secunden vernehmlich. Man hört nun die schwere Hausthüre aufgehen und dröhnend ins Schloß fallen, das Schrittegeräusch des im Hausflur herumtaumelnden Bauern, schließlich seine rohe, näselnde, lallende Trinkerstimme ganz aus der Nähe durch den Raum gellen:* Dohie hä? Hoa iich nee a poar hibsche Tächter?
Der Vorhang fällt schnell.

Anhang

Zu dieser Ausgabe

Der Text der vorliegenden Ausgabe folgt in Orthographie und Interpunktion dem Erstdruck (E):

> Gerhart Hauptmann: Vor Sonnenaufgang. Soziales Drama. Berlin: C. F. Conrad's Buchhandlung, 1889. [106 Seiten.]

Davon ausgenommen sind offensichtliche Satzfehler, die stillschweigend korrigiert wurden, Normierungen im Nebentext und die am Schluss zusammengestellten Verbesserungen. Die Schreibung der Umlaute am Wortanfang wurde der modernen Schreibweise angepasst: »Aerger« wurde in »Ärger« korrigiert, »Uebel« in »Übel« usw.

Die Druckvorlage zur Erstveröffentlichung ist nicht erhalten. Auch das Bühnenmanuskript der Uraufführung muss als verschollen gelten. Zur frühen Druckgeschichte des Dramas vgl. Atkinson (1981).

Der Fraktursatz des Originals wurde in die Antiqua übertragen. Dabei wurde darauf verzichtet, fremdsprachige Ausdrücke, die in der Vorlage in Antiquaschrift gesetzt sind, eigens hervorzuheben. Das große ›J‹ wird je nach Lautwert durch ›I‹ oder ›J‹ wiedergegeben.

Zum Vergleich wurden die späteren Drucke in der ›Ausgabe letzter Hand‹ (ALH) und in der ›Centenar-Ausgabe‹ (CA) herangezogen, die neben dem Erstdruck die wichtigsten Stationen der Publikationsgeschichte bilden. Orthographie und Interpunktion sind in ALH vereinheitlicht und modernisiert. In CA ist nur die Orthographie an die geltenden Regeln angepasst worden. Dagegen ist die »eigenwillige Interpunktion«, die ein »integrierender Bestandteil der Textgestalt« ist, von der Normalisierung ausgenommen worden.[1] Stichproben ergaben allerdings zahlreiche Abweichungen von der Interpunktion des Erstdrucks. Diese Eingriffe dürften sich aus dem vom Herausge-

---

1 Hans-Egon Hass, *Die Centenar-Ausgabe der sämtlichen Werke Gerhart Hauptmanns. Ein editorischer Vorbericht*, Frankfurt a. M. / Berlin 1964, S. 19.

ber der CA gewählten Verfahren erklären, »die von Duden geregelten ›Normalfälle‹« zu berücksichtigen.² Die vorliegende Ausgabe übernimmt diese Eingriffe insoweit, als sie Unregelmäßigkeiten beseitigen, die einem Versehen bei der Herstellung des Erstdrucks geschuldet sein könnten. Sie sind durch eckige Klammern [ ] gekennzeichnet.

Bemerkenswert sind weiterhin einige typographische Eigenarten des Erstdrucks, die in ALH, CA und in die vorliegende Ausgabe nicht übernommen worden sind. Der Nebentext (abgesehen von den Akt- und Sprecherbezeichnungen) ist in einer kleineren Drucktype gesetzt als der Haupttext. Innerhalb des Nebentextes wird noch einmal differenziert. Für die Schauplatzbezeichnungen, die die einzelnen Akte jeweils eröffnen, wurde eine etwas größere Drucktype gewählt als für die nachfolgenden Personenbeschreibungen. Dagegen sind in ALH, CA und der vorliegenden Ausgabe Haupt- und Nebentext in der Schriftgröße angeglichen. Der Nebentext ist jeweils kursiviert. Die Personenbeschreibungen sind in der vorliegenden Ausgabe in runde Klammern gesetzt.

Auffallend ist auch die größere Nähe des Erstdrucks zur gesprochenen Sprache, wie sie z. B. durch mehrfache Ausrufezeichen, Auslassungszeichen, Bindestriche zwischen Wortsilben und Sperrdruck signalisiert wird. Demgegenüber orientiert sich ALH stärker an der Schriftsprache. Die Hervorhebungen in den Sprechertexten, die in E durch Bindestriche zwischen Wortsilben und Sperrdruck markiert sind, sind nahezu vollständig getilgt. In der CA sind sie weitgehend wiederhergestellt. Das Gleiche gilt für die meisten semantischen Eingriffe von ALH sowie für die beiden größeren Streichungen: die Bühnenskizzen und die pazifistische Rede Loths, die aus politischen Gründen unterdrückt wurde. Auch die Transkription der Dialektstellen in CA orientiert sich an E. Dagegen sind die satzabtrennenden Kommata, die in ALH durch Ausrufezeichen bzw. Schlusspunkte ersetzt sind, in CA beibehalten.

2 Ebd.

Die Anzahl der Auslassungspunkte, die in E variiert, ist in ALH und CA vereinheitlicht. Die auspunktierten Zwischenzeilen in den Dialogen sind in beide Ausgaben nicht übernommen worden.

Die Hinweise zur Entstehungszeit und Erstveröffentlichung, die dem Drama in CA und – in abgewandelter Form – auch in ALH vorangestellt sind, bleiben im vorliegenden Verzeichnis unberücksichtigt.

Mit der Sigle GH Hs werden Dokumente aus dem Manuskriptnachlass Gerhart Hauptmanns, Staatsbibliothek Preußischer Kulturbesitz, Berlin, Handschriftenabteilung, zitiert.

Das folgende Verzeichnis beschränkt sich auf die wichtigsten Textabweichungen (hinter dem Lemmazeichen] folgen jeweils die Varianten der späteren Drucke):

7,1–6 Bjarne P. Holmsen ... Gerhart Hauptmann.] *fehlt in ALH. In CA nach der Widmung zusätzliche Vorbemerkung der zweiten Auflage (von 1889):* Die Aufführung dieses Dramas fand am 20. Oktober statt in den Räumen des Lessingtheaters, veranstaltet vom ›Verein Freie Bühne‹. Ich benutze den Anlaß der Herausgabe einer neuen Auflage, um aus vollem Herzen den Leitern dieses Vereins insgesamt, insonderheit aber den Herren Otto Brahm und Paul Schlenther zu danken. Möchte es die Zukunft erweisen, daß sie sich, indem sie, kleinlichen Bedenken zum Trotz, einem aus reinen Motiven heraus entstandenen Kunstwerk zum Leben verhalfen, um die *deutsche* Kunst verdient gemacht haben. / Charlottenburg, den 26. Oktober 1889. Gerhart Hauptmann.

9,1 Handelnde Menschen.] Dramatis personae *ALH, CA*

9,10 Dr.] Doktor *ALH*

9,19 Kuhjunge.] Kuhjunge / Ein Paketträger *ALH, CA*

11 *Bühnenskizze fehlt in ALH; in CA dem Personenverzeichnis vorangestellt*

13,25 welche] die *ALH, CA*

16,4 was] etwas *ALH*

20,27 f. drüben ... davon reden] darüber ... reden *ALH*

24,16 welche] die *ALH*

73,16 oder] und *ALH*
76,19 weit] *fehlt in ALH*
79,18 welche] die *ALH*
79,27 etwas] was *ALH*
82,30 f. Jahrtausende] Jahrhunderte *ALH*
83,28 zuschreitend] schreitend *ALH*
84,15 dem] das *ALH*
87,7 f. aber ist man] ist man aber *ALH*
88,11 derselben angezogen] davon angezogen hat *ALH*
89,23 sogenannte] sogenannten *ALH*
90,17 f. Hierauf nimmt er … zum Gehen.] *fehlt in ALH*
91,3 kann's Sie] kann Sie's *ALH*
92,6 Vorhang fällt schnell.] *fehlt in ALH, CA*
95,2 Gosch] Golisch *ALH, CA*
95,14 Zwanzig] zwanzig Jahre *ALH*
96,12 wenn … . . wenn das] wenn … das *ALH*
98,8 Mädchen] Mägde *ALH*
100,27 lassen] halten *ALH*
108,28 sehr] *fehlt in ALH*
109,14 nur da] da nur *ALH*
111,26 mussen] müssen *ALH, CA*
116,24 etwa] *fehlt in ALH*
122,25 absolut heut] heut absolut *ALH*
123,21 Beiden] beide *ALH*
125,26 f. unglückseligen] unglücklichen *ALH, CA*
127,22 soll] sollte *ALH*
143,31 Der Vorhang fällt schnell.] *fehlt in ALH, CA*

Folgende Textstellen wurden unter Berücksichtigung der späteren Drucke berichtigt bzw. vereinheitlicht (vor dem Lemmazeichen] steht die verbesserte Form):

12,30 dreiunddreißig Jahre] dreiunddreißig
19,19 f. Vancouver] Vancover
51,26 bischen] Bischen

59,10 bischen] Bischen
73,26 Alfred] Fritz
83,3 Alfred] Fritz
95,4 nach. Ab] nach ab
95,14 Bauernburschen] Bauerburschen
99,23 nieder.] nieder
112,4 auf] an
128,21 daß] das

Anmerkungen

5,1 [Titel] *Vor Sonnenaufgang:* vgl. Nachwort S. 198 f. Neben der
Symbolik – der Titel lässt sich auf den Anbruch einer neuen Zeit
beziehen – dürften es literarische Reminiszenzen gewesen sein,
die Hauptmann zur Wahl der Tageszeit, in der sich die Handlung abspielt, bestimmten: Vor Sonnenaufgang spielt die Handlung in Henrik Ibsens *Gespenstern* (*Gengangere*, 1881); am
Schluss geht die Sonne auf. Im Schein der Morgenröte endet
auch Émile Zolas Bergarbeiterroman *Germinal* (1885). »Vor Son-
nen-Aufgang« ist schließlich ein Abschnitt in Friedrich Nietz-
sches *Also sprach Zarathustra* überschrieben (3. Teil, 1884; Re-
quardt/Machatzke, S. 141, Anm. 5, halten es für möglich, dass
Arno Holz dadurch zur Titelgebung angeregt wurde). Beim Aufgang der Morgenröte flieht Lot, der biblische Namensvetter der
Hauptfigur des Stücks, aus dem sündigen Sodom, bei Sonnenaufgang ist er gerettet (1. Mose 19,1–23). Im Übrigen vgl. man die
temporale Metaphorik im Titel von Leo Tolstois »dramatischem
Sittenbild« *Die Macht der Finsternis* (1886; vgl. CA VII, 1076 und
CA XI, 533). Mit dem Titel seines späteren Dramas *Vor Sonnen-
untergang* (1932) bezog sich Hauptmann dann auf seinen dramatischen Erstling zurück.

5,2 [Untertitel] *Soziales Drama:* vgl. Nachwort S. 202–205.

7,1–6 [Widmung] *Bjarne P. Holmsen … Hauptmann:* Der Dichter hat
die Zueignung auf den Tag der Geburt seines dritten Sohnes Klaus
datiert. – Nach seiner Entfremdung von Arno Holz schrieb er in
seinem Lebensrückblick *Zweites Vierteljahrhundert* (entst. 1938):
»Die Bezeichnung ›konsequentester Realist‹ habe ich nur auf Bjarne P. Holmsen bezüglich angewandt. Ich wollte mich damals ganz
ausdrücklich von dem etwas primitiven Theoretiker Arno Holz
fernhalten. Bjarne P. Holmsen, der Holz und Schlaf gemeinsam bedeutete, an sich aber nur in Verbindung mit dem Werk Papa Ham-
lets zu denken war, beschränkte meine Widmung allein auf dies
Werk, ja machte sie letzten Endes unpersönlich.« Den Einfluss der
Autoren spielte er herunter: »Man mag mir nun glauben oder

nicht, der Hauptbeweggrund meiner Widmung war nicht die entscheidende Anregung. Sondern es war der Wunsch, der mich auch
später bewegte, Holz und Schlaf bei ihrem Kampfe um Geltung in
der Öffentlichkeit hilfreich zu sein.« (CA XI, 495 f.) Bei der Übernahme des Druckes durch den S. Fischer Verlag im Herbst 1891
wurde die Widmung weggelassen.

9,5 [Personen] *Martha:* Helenes Schwester tritt selbst tatsächlich gar
nicht auf. Im letzten Akt ist nur das »Wimmern der Wöchnerin« zu
hören (in der vorl. Ausg. S. 117,3 f.).

9,9 [Personen] *Alfred Loth:* Unmittelbares Vorbild für Alfred Loth
war Alfred Julius Ploetz (1860–1940), den Hauptmann 1877 durch
seinen Bruder Carl kennengelernt hatte. Er gehörte zu Hauptmanns engsten Freunden. Ploetz erkannte sich in der Figur des
Loth selbst durchaus wieder, übte aber auch Kritik an ihr (vgl. seinen Brief an Hauptmann vom 3. September 1889, abgedruckt in:
Hauptmann, *Notiz-Kalender*, S. 164–167). Ploetz begann 1879 in
Breslau mit dem Studium der Volkswirtschaft, ging 1883 nach Zürich, immatrikulierte sich zunächst für das Fach Jura und studierte
dann vom Sommersemester 1885 bis zum Wintersemester 1887/88
Medizin. 1890 promovierte er mit einem naturwissenschaftlichen
Thema. Ploetz gehörte später zu den Begründern der »Rassenhygiene«. In seinem Buch *Die Tüchtigkeit unsrer Rasse und der Schutz
der Schwachen. Ein Versuch über Rassenhygiene und ihr Verhältniss
zu den humanen Idealen, besonders zum Socialismus* (Berlin 1895)
diskutierte er die Frage, wie negativ bewertete Erbanlagen von der
menschlichen Fortpflanzung ausgeschlossen werden könnten, ohne dass es zu einem Konflikt mit den Forderungen der Humanität
und Gerechtigkeit kommt. In diesem Zusammenhang plädierte er
u. a. für die Wahl eines entsprechenden Sexualpartners (vgl. ebd.,
4. und 5. Kap.; kritisch dazu Hauptmann in CA XI, 541–544). Einge-
gangen in die Figurengestaltung Loths sind darüber hinaus Züge
von Heinrich Lux (1863–1944). Dieser studierte zunächst in Breslau
Mathematik, später dann in Basel und Zürich. Neben seiner Tätigkeit als Ingenieur publizierte er über elektrotechnische, national-
ökonomische und sozialpolitische Themen. Lux und Ploetz waren

befreundet, Hauptmann hatte jenen allerdings bloß »flüchtig kennen gelernt« (GH Hs 384, 950) und erwähnt ihn nur in der unpublizierten Manuskriptfassung seiner Autobiographie. – Im Übrigen erinnert der Nachname nicht zufällig an den biblischen Lot, den »Gerechten«, den Gott vor dem Untergang Sodoms bewahrt (vgl. 1. Mose 19,1–26). Vgl. Anm. zum Titel des Dramas, in der vorl. Ausg. S. 143, Anm. zu 132,13 f. und Nachwort S. 198 f.

9,10 [Personen] *Dr. Schimmelpfennig:* Modell für diese Figur war Ferdinand Simon (1862–1912). Er gehörte, wie Ploetz, zu Hauptmanns engsten Jugendfreunden. Hauptmann lernte ihn 1882 in Jena durch seinen Bruder Carl kennen. Simon besuchte in Breslau das Gymnasium und studierte nach dem Abitur vom Wintersemester 1881/82 bis zum Wintersemester 1882/83 in Jena u. a. Physik und Philosophie, wo er sich mit Carl und Gerhart Hauptmann zeitweise ein Quartier teilte (CA VII, 887 f.). Im Sommer 1883 promovierte er bei Ernst Haeckel in Jena zum Dr. phil. 1883/84 leistete er in Breslau seinen Militärdienst ab, engagierte sich im Verein »Pacific« (vgl. Anm. zu 19,19 f., vgl. Nachwort S. 190–194) und freundete sich mit Lux an. Das Wintersemester 1884/85 verbrachte er zusammen mit Gerhart Hauptmann an der Universität Berlin, wo er sich mathematischen Studien widmete (CA VII, 1009 f.). Vom Wintersemester 1885/86 bis zum Sommersemester 1889 studierte er in Zürich Medizin und legte im November das Staatsexamen ab. Anschließend ließ er sich in Zürich als Arzt nieder. 1891 heiratete er Frieda Bebel, die Tochter des Mitbegründers der deutschen Sozialdemokratie August Bebel. In seinen Publikationen bekämpfte er den Alkoholismus (vgl. Anm. zu 126,29 f.) und engagierte sich für die Emanzipation der Frau (vgl. Anm. zu 119,1 f.). Simon übte auf Hauptmanns literarische Entwicklung einen starken Einfluss aus. So vermittelte er ihm Ibsens Schauspiel *Nora oder Ein Puppenheim* (*Et dukkehjem*, 1879) und regte ihn zur Neulektüre von Heinrich Heines Gedicht *Die schlesischen Weber* (zuerst 1844 u. d. T. *Die armen Weber*) an (CA VII, 1013 bzw. GH Hs 384, 1016). In dem theoretischen Organ der SPD *Die Neue Zeit* veröffentlichte er eine Besprechung von *Vor Sonnenaufgang* (7, 1889, H. 12, S. 579 f.; vgl.

auch die Postkarte an Hauptmann vom 30. August 1889, Hauptmann, *Notiz-Kalender*, S. 162 f.). Zur Biographie Simons vgl. Lux' Nachruf »Ferdinand Simon«, in: *Die Neue Zeit* 30 (1911/12) H. 1, S. 516–520. Siehe auch Bellmann, S. 16–21.

Erster Akt

11,3 f. *gepfropft:* pfropfen, veredeln; eigtl. ein Fachbegriff aus der Gärtnersprache: den Spross eines wertvollen Gewächses auf ein weniger wertvolles aufsetzen; hier im Sinn von ›etwas nicht Passendes hinzufügen‹.

11,6 *Blouse:* (frz.) Kittel der Fuhrleute, Arbeiterkleidungsstück, später dann Bezeichnung für lose Oberbekleidung der Frauen; hier im urspr. Sinn.

12,6 *Sommerpaletot:* Paletot (frz.): Überzieher, Herrenmantel.

12,11 *Kattunrock:* Rock aus grober Baumwolle.

12,13 *conservirt:* hier im Sinn von: noch jugendlich.

13,3 *Berloques:* (frz.) Schmuckanhänger.

14,20 *raucht sich ... an:* zündet sich an, beginnt zu rauchen (bei Zigarren zeitaufwendig).

14,30 *Blase:* in der Studentensprache gebräuchlicher Ausdruck für Genossen, Bande, Gesellschaft.

15,3 *Daß er sich erschossen hat:* Anspielung auf den Tod Hugo Thienemanns. Der Architekturstudent und Vetter von Hauptmanns Frau wurde am 4. Mai 1886 tot im Grunewald aufgefunden. Hauptmann beschäftigte dies Schicksal wiederholt (vgl. CA VI, 308 f.; vgl. auch CA XI, 257 und CA IV, 60–62; dazu Requardt/Machatzke, S. 109–111, 122 f., 147 f.). Das Selbsttötungsmotiv, das hier zum ersten Mal erwähnt wird, durchzieht das ganze Stück, vgl. in der vorl. Ausg. S. 23,6; 58,2; 71,1; 101,26–102,8; 130,10 f.; 134,3–22.

15,7–9 *Grunewald ... Havelseeufer ... Spandau:* Forst, Fluss und Stadt westlich von Berlin, seit 1920 eingemeindet. Als ›Havelsee(n)‹ werden die vielen kleinen Ausbuchtungen der Havel bezeichnet.

15,12 *Deswegen hat er sich eben erschossen:* Für Loth ist der Suizid ein Zeichen von Weichlichkeit und charakterlicher Schwäche. Zu Loths Menschen-Ideal vgl. in der vorl. Ausg. S. 58,18–20.

15,20 *grün:* hier im Sinn von: unreif, unerfahren.

15,23 *Stuccateur:* Handwerker, der Arbeiten in Stuck etwa zur Ausgestaltung von Wänden oder Decken ausführt, einer Mischung aus Gips, Kalk und Sand; seltener gebraucht auch für den Künstler, der Plastiken aus Stuck herstellt; in jedem Fall aber eine für einen Künstler eher mindere Tätigkeit.

15,25 *Statuetten:* kleine Standbilder.

15,26 f. *Ich will von der Kunst erheitert sein:* Anspielung auf Friedrich Schillers Prolog zu *Wallensteins Lager* (uraufgef. 1798): »Ernst ist das Leben, heiter ist die Kunst.«

15,29 *Meiner war es auch nicht:* Loths Zustimmung darf nicht darüber hinwegtäuschen, dass er die Aufgabe der Kunst anders akzentuiert, nämlich praktisch-ethisch (in der vorl. Ausg. S. 58,10–20).

15,31 f. *Duodezfürstchen:* Duodez, von lat. *duodecim* ›zwölf‹. Kleines Buchformat, das durch Teilung des Bogens in zwölf Blätter entsteht, davon abgeleitet für etwas lächerlich Kleines; hier also: ein unbedeutender Herrscher eines sehr kleinen Fürstentums.

16,21 *Leipziger Geschichte:* vgl. Nachwort S. 190–194.

17,2 *Grand Champagne:* feinster Cognac aus der Champagne, einer Landschaft in Nordosten Frankreichs.

17,11 f. *Zwei Jahre Gefängniß bekam ich ... von der Universität relegirt:* relegieren: entfernen, entlassen, zwangsweise exmatrikulieren. Diese Züge sind der Biographie von Lux entlehnt, der 22 Monate in Haft saß und von der Universität Breslau verwiesen wurde.

17,19 *Baare:* bloße.

17,20–22 *nach Amerika auswandern ... und Musterstaat gründen:* vgl. Nachwort S. 191 f. – Amerika, vor allem die USA, war im 19. Jh. das bevorzugte Auswanderungsziel der Deutschen. 1880 war die Zahl der Auswanderungswilligen rapide in die Höhe geschnellt, erst 1894 sank sie wieder. Von 1880 bis 1889 emigrierten jährlich durchschnittlich 120 000 Reichsbürger in die USA, darunter zahlreiche politisch verfolgte Sozialdemokraten. Zu dem Auswanderungsvorhaben der Brüder Hauptmann und ihres Jenaer Freundeskreises vgl. auch CA VII, 896 f., 914 und 959, sowie die späte Novelle *Die Hochzeit auf Buchenhorst* (1931), CA VI, 275–324.

17,21 *Gelbschnäbel:* Gelbschnabel: unreifer, unerfahrener Mensch; eigtl.: der junge Vogel, der an den Schnabelseiten noch gelb ist.

18,3 *Kaltwasserkur:* vgl. Hauptmanns Erinnerung an die Abhärtungsmaßnahmen, mit denen er von seinem Vater traktiert wurde (CA VII, 518), außerdem zugleich eine ironische Anspielung auf die Anwendung kalten Wassers zum Zweck der Erhaltung der Gesundheit und der Heilung, wie sie in dem von dem kath. Seelsorger Sebastian Kneipp (1821–1897) entwickelten Naturheilverfahren empfohlen wird (vgl. dessen Buch *Meine Wasser-Kur*, 1886). Hauptmann, der in einem Kur- und Badeort aufwuchs, war diese Therapie vermutlich vertraut.

18,14 f. *Couleurwesen auf den Universitäten:* das studentische Verbindungswesen, dessen Organisationen sich durch die Farbe (frz. *couleur*) der von den Studenten getragenen Mützen, Bänder usw. voneinander unterscheiden.

18,15 *das Pauken:* in der Studentensprache: sich duellieren, die Mensur fechten.

18,16 *um Hekuba:* Ausdruck der Gleichgültigkeit, nach Shakespeares Hamlet (II,2): »Was ist ihm Hekuba, was ist er ihr, / Daß er um sie soll weinen?« (William Shakespeare, *Hamlet, Prinz von Dänemark* [*The Tragedy of Hamlet, Prince of Denmark,* 1603], Übers. von August Wilhelm Schlegel). Hekuba ist im griech. Mythos die Gemahlin des Priamus und Mutter u. a. von Hektor. Populär wurde diese Wendung durch Bismarck, der sie in seiner Reichtagsrede vom 11. Januar 1887 zitierte (vgl. *Die Reden des Fürsten von Bismarck im Preußischen Landtage und Deutschen Reichstage 1886–1890. Kritische Ausgabe,* bes. von Horst Kohl, Stuttgart 1894, S. 183).

19,18–22 *die Anklageschrift führte aus ... gesammelt haben:* §1 des »Sozialistengesetzes« verbot alle Vereine, die den »Umsturz der bestehenden Staats- und Gesellschaftsordnung bezwecken«, §16 stellte ihre finanzielle Förderung unter Strafe. Die Anklageschrift zum Breslauer Sozialistenprozess ist abgedruckt bei Müller, S. 212–218.

19,19 f. *Verein Vancouver-Island:* Vancouver Island, kanad. Insel im Pazifik. Anspielung auf den Breslauer Studentenverein »Pacific«, der dort einen kommunistischen Musterstaat errichten wollte (vgl. CA VII, 896 f.; GH Hs 384, 952).

20,2 *baß:* heute veraltet für: sehr.

20,3 *obscursten:* verdächtigsten.

20,4 *Reichstagscandidat des süßen Pöbels:* der Sozialdemokratie. Der Ausdruck »süßer Pöbel« spielt auf Goethes *Faust. Eine Tragödie* (1808), »Walpurgisnacht« (V. 4023) an. Vgl. Hauptmann, *Notiz-Kalender,* S. 33 (31. März 1889).

20,8 *von Oben herab:* Die Forderung nach einer Politik ›von Oben‹ verband sich für die Zeitgenossen besonders mit der Politik Bismarcks, der damit einer revolutionären Erhebung ›von unten‹ vorbeugen wollte. Vgl. dessen Wort: »Revolutionen machen in Preußen nur die Könige« (Otto von Bismarck, *Die gesammelten Werke,* 2. Aufl., Bd. 8, Berlin [o. J.], S. 459 [Gespräch vom 8. Dezember 1882]).

20,21 *Bleichröder:* Gerson von B. (1822–1893), einflussreicher Berliner Bankier, Hofbankier der Hohenzollern und Vertrauensperson Bismarcks; Inbegriff politisch-wirtschaftlicher Macht.

20,27 *Jauer:* Stadt in Niederschlesien, westlich von Breslau.

21,4 f. *Du glaubst nicht … Tritt beobachtet wird:* Angesichts der Bespitzelungen und Verfolgungen, denen die Anhänger der Sozialdemokratie ausgesetzt waren, wirken Hoffmanns Worte unangemessen.

21,19 *Ideologe:* Vertreter einer Ideologie; hier: weltfremder Schwärmer, Träumer.

21,20 *reussirt:* reüssieren: erfolgreich sein, ein Ziel erreichen.

21,23 *Patron:* Schutzheiliger; hier umgangsspr. für: übler Kerl.

22,2 *um zweihundert Mark bitten:* Zum Vergleich: Der Durchschnittslohn der Bergarbeiter betrug im Jahr 1888 in Oberschlesien 1,85 M[ark], in Niederschlesien 2,04 M pro Schicht (vgl. Oskar Hue, *Die Bergarbeiter. Historische Darstellung der Bergarbeiter-Verhältnisse von der ältesten bis in die neueste Zeit,* Bd. 2, Stuttgart 1913, S. 354). Der Jahresbeitrag für die Mitglieder des Vereins »Freie Bühne« war 1897 auf 1 M festgesetzt. 200 M betrug der Mitgliedsbeitrag in der »Gesellschaft Pacific«. So hoch war auch das Honorar, das Hauptmann für die Erstveröffentlichung seines Stückes in ›Conrad's Buchhandlung‹ erhielt. Es handelt sich also um keine unbeträchtliche Summe. – *Mark:* alte dt. Münzbezeichnung, 1871 als Währung im Deutschen Reich eingeführt.

22,11 *Pathos:* (griech., Leiden) leidenschaftliche Erregtheit bzw. Ergriffenheit und deren sprachlicher Ausdruck.

22,11 f. *Ein Arbeiter ist seines Lohnes werth:* wörtliches Zitat aus Lk. 10,7 bzw. 1 Tim. 5,18.

22,31 *Thalern:* Thaler: alte dt. Silbermünze, blieb nach Einführung der Markwährung (1871) gültig. Der Umrechnungskurs betrug 1 Taler = 3 Mark. Der Name leitet sich von »Joachimsthal« ab, einem Ort in Böhmen, wo die Münze geprägt wurde.

23,2 *Witzdorfer:* aus Witzdorf stammend. Die Ortsbezeichnung ist fiktiv. Reales Vorbild war das Dorf Weißstein im Waldenburger Kohlerevier südwestlich von Breslau (vgl. CA VII, 1082).

23,18 f. *Bauern beim Champagner überredet:* Auch dem Abstinenzler Loth wird Champagner serviert (vgl. in der vorl. Ausg. S. 37,8). Hauptmann notierte sich am 12. Mai 1889: »Wie man die Agitatoren in Waldenb[urg] mit Champagner traktiert.« (Hauptmann, *Notiz-Kalender,* S. 68). – *Champagner:* teurer Schaumwein aus der Champagne (vgl. Anm. zu 17,1).

23,20 *Verschleiß:* hier Vertrieb, Verkauf.

23,27 f. *einer elektrischen Leitung:* vgl. Anm. zu 87,16.

24,4 *Livree:* uniformartige Diener- bzw. Dienstkleidung.

24,25 *Jeses:* (dialekt.) Jesus.

24,28 f. *verbauern:* auf das Niveau eines rohen und ungebildeten Menschen absinken; auf dem städtischen Vorurteil beruhend, dass das bäuerliche Leben unzivilisiert sei.

24,30 *Schrullen:* Eigentümlichkeiten, seltsame Anwandlungen.

25,5 *Maulwurfsarbeit:* Die Metapher des die gesellschaftlichen Verhältnisse unterwühlenden Maulwurfs war Ende des 19. Jh.s bereits ein Klischee antisozialistischer Rhetorik; dagegen diente sie den Sozialisten seit dem Vorwärz durchaus als Identifikationsfigur.

Das »Sozialistengesetz« (vgl. Anm. zu 19,18–22) ließ den Sozialdemokraten allerdings auch keine andere Wahl, als ihre politische Arbeit im ›Untergrund‹ fortzusetzen.

25,20 *Herzog:* von Rudolph Hertzog (1815–1894) gegründetes Manufakturwarengeschäft in der Breiten Straße in Berlin, zu dem auch ein Versandhandel gehörte.

25,23 *Lohnt…ab:* bezahlt

26,5 *Spillern:* Akkusativ von Spiller.

26,13 *stutzt sie heraus:* hier im Sinn von: putzt sie heraus.

26,14 f. *ihr Rad schlagen:* wie ein Pfau, im Sinn von: ihren Auftritt haben.

26,22–24 *Bei mir zu Hause … nicht vorgekommen:* erste ausdrückliche Erwähnung des Einflusses der Umwelt auf das menschliche Verhalten, vgl. auch in der vorl. Ausg. S. 30 f.; 68 f.; 129,6 f.

26,28 f. *wenn es nur erst wieder vorüber wär':* Martha Hoffmann hatte schon einmal ein Kind zur Welt gebracht, vgl. in der vorl. Ausg. S. 68,21 f.

27,3 *Austern:* »In keinem schlesischen Bauernhause frißt man Austern«, beanstandete Conrad Alberti (1862–1918) in seinem Artikel »Die Freie Bühne. Ein Nekrolog« dieses – angeblich unrealistische – Detail und nahm es zum Anlass eines Angriffes, der einmal mehr die provozierende Wirkung beleuchtet, die das Stück auf einige Zeitgenossen ausübte: »So ist selbst der kleinste charakteristische Milieuzug in dem H'schen Stücke erlogen. Das ganze Stück stinkt, aber nicht weil es von Kot handelt, sondern weil es selbst erstunken ist« (*Die Gesellschaft* 6, 1890, H. 3, S. 1104–12, hier S. 1111).

27,6 *gemit't:* gemietet, gedungen, in Lohn genommen.

27,9 *Toilette:* (frz.) hier: (elegante) Damenkleidung, besonders Gesellschaftskleidung.

28,7 *Breslauer Studienzeit:* Sowohl Ploetz als auch Lux hatten in Breslau studiert, vgl. Anm. zu 9,9.

28,12 *Studien:* (lat.) Studie; hier: die wissenschaftliche Untersuchung einer Einzelfrage.

28,23 *neusilbernen:* Neusilber: eine Kupfer-Nickel-Zink-Legierung, die wie Silber aussieht.

Raufen: Raufe: Gestell mit Stäben, zwischen denen das Vieh oder Wild sein Grünfutter o. Ä. herausziehen kann.

28,24 *gemuthet:* muten (Fachausdruck aus dem Bergbau): die Abbaugenehmigung beantragen.

28,28 *geringe:* wenig ertragreiche, schlechte.

29,3 f. *Zum Sterben langweilig ist es:* erste, noch redensartliche Erwähnung des Todesmotivs, das Helenes Gedanken beherrscht (vgl. Anm. zu 58,2 und in der vorl Ausg. S. 71,1 und 134,2–23), hier verknüpft mit dem Thema der Langeweile, das aber eher beiläufig anklingt. Die zeitgenössische Aktualität dieser Vorstellungsverbindung belegen auch Ibsens *Hedda Gabler* (1890) und Anton Tschechows *Drei Schwestern* (*Tri sestry*, 1901), in der das Motiv der sich zu Tode langweilenden Frau eine zentrale Funktion erhält.

29,8 f. *Die Bauern spielen, jagen, trinken:* leicht variierte Reminiszenz an eine Jugenderinnerung des 22-Jährigen: »Ich lebte also [...] gedankenlos meinen Urinstinkten hingegeben: Spiel, Jagd, Liebeslust.« (CA VII, 1007)

29,21 *Dunkelei:* (schles.) Dämmerung.

30,13 *Pensionscorrespondenz:* Briefwechsel zwischen den ehemaligen Angehörigen einer Pension, d. h. hier eines Pensionats oder Internats besonders für Mädchen.

30,15 *Herrnhut:* Stadt in der Oberlausitz, Stammsitz der Herrnhuter Brüdergemeine, eine in den 1720er Jahren von Nikolaus Ludwig Graf von Zinzendorf und Pottendorf (1700–1760) gegründete lutherisch-pietistische Gemeinschaft, die Herzensfrömmigkeit mit tätiger Nächstenliebe verband und sich gegen alles ›Vernünfteln‹ wandte. Hauptmann stand dem Herrnhuter Pietismus ablehnend gegenüber, mit dem er zum ersten Mal während seiner Zeit als Landwirtschaftsschüler auf den Gütern seines Onkels in Berührung gekommen war (vgl. CA VII, 753, 757–761). Marie Thienemann, seine spätere Frau, war nach dem frühen Tod der Mutter in einem herrnhutischen Pensionat erzogen worden (vgl. CA VII, 851, 853; vgl. auch das wahrscheinlich 1888/89 entstandene Fragment eines autobiographischen Romans CA XI, 33–39).

31,27 *Veuve Cliquot:* Veuve Cliquot-Ponsardin, traditionsreiches Champagnerhaus in Reims, dessen Schaumweine Spitzenqualität haben.

31,29 *disputirt:* ein (wissenschaftliches) Streitgespräch geführt; diskutiert.

32,7 f. *Ach! das Unheil schreitet schnelle:* Anspielung auf Schillers *Lied von der Glocke* (1800): »Und das Unglück schreitet schnell«.

32,17 *Spielhahnfeder:* Feder vom Spiel- oder Birkhahn.

33,10 *aufgedonnert:* auffallend, geschmacklos gekleidet.

33,12 *Hoffart:* Hochmut, Anmaßung, eine der sieben sog. Todsünden, die früher nach katholischer Theologie ohne vollständige Reue den Verlust der göttlichen Gnade und der ewigen Seligkeit zur Folge haben sollten.

33,14 *Dr. Loth:* Das Personenverzeichnis gibt Loth keinen akademischen Titel. Lux promovierte 1889, Ploetz 1890.

33,18 f. *vertefentiren:* von lat. *defendere* ›sich verteidigen, entschuldigen‹.

33,21 *Drehe:* (schles.) Gegend.

33,22 *grußmächtige Menge:* (schles.) sehr große, gewaltige Menge.
Stremer: (schles.) Stromer, Bettler.

33,24 *Ilster:* (schles.) Elster.

33,28 *egelganz:* (schles.) ganz und gar.
Luder: urspr.: totes Tier, Aas; hier Schimpfwort.

33,29 f. *Brassel:* (schles.) Breslau, Hauptstadt der preußischen Provinz Niederschlesien.

35,11 f. *leidenschaftlicher Jäger:* erste Erwähnung des Jagdmotivs, das sich durch das ganze Stück zieht, vgl. in der vorl. Ausg. S. 54,19–27; 53,23; 64,7–13; 134,2.

35,14 *infames:* infam (lat.): niederträchtig, schändlich, unverschämt.

35,14 f. *Am .. am .. amf .. ff .. fibium:* Amphibium: Tier, das im Wasser und auf dem Land leben kann; hier als Schimpfwort verwendet.

35,18 *nächten:* (schles.) gestern.

35,24 *Wald, Wild, Weib:* Der Ausspruch – ergänzt um »Wein« – ist auch belegt in Wilhelm Robbers-Cleve, »Hubertus-Jagdfest«, in: W. R.-C., *Ein Rudel Schelmenlieder aus dem Waidmannsleben*, Neudamm 1892, S. 42 f., hier S. 43.

36,19 *Fuchsgraben:* Fuchsbaue aufbrechen und die Füchse fangen.

37,2 *Warnemünde:* Seebad an der mecklenburgischen Ostseeküste. Ploetz stammte aus Swinemünde am Stettiner Haff.

37,7 *Muhme:* Tante, Schwester der Mutter, ältere weibliche Verwandte.

37,29 *dreiste:* hier: getrost, bedenkenlos, ohne weiteres.
Rheims: Reims: frz. Stadt, Hauptort der Champagne und Zentrum des Champagnerhandels.

38,10 f. *wie manche hochfidele ... mit einander:* vgl. Hauptmanns Schilderung eines studentischen Trinkexzesses, an dem er und Ploetz beteiligt waren (CA VII, 878–882).

38,21 *Marotte:* (frz.) Schrulle, Grille, wunderliche Angewohnheit.

38,24 f. *des Menschen Wille ... und so weiter:* des Menschen Wille ist sein Himmelreich. Da Hoffmann wiederholt auf Worte Schillers anspielt (vgl. in der vorl. Ausg. S. 15,25 f.; 32,7 f.) ist auch an eine Wendung aus *Wallensteins Lager* zu denken: »Des Menschen Wille, das ist sein Glück« (Friedrich Schiller, *Wallenstein I. Wallensteins Lager*, Stuttgart 2004, S. 23, 7. Auftritt, V. 404).

39,1 *Asceten:* Asket (griech.): enthaltsam lebender Mensch.

39,24 *Kneiptafeln:* Zusammenkünfte von Studentenverbindungen, bei denen gekneipt oder gezecht wird, an denen also alkoholische Getränke getrunken werden.

39,29–40,1 *Rrr ... rü ... desheimer ... B ... bordeaux:* Weine aus dem Rheingau bzw. aus dem Südwesten Frankreichs.

40,11 f. *weil ich mich ehrenwörtlich verpflichtet habe:* Anspielung auf eine Verpflichtung von Ploetz. Dazu bemerkt Hauptmann in seiner Autobiographie: »Der Idealismus Ploetzens überschlug sich eines Tags, und er teilte uns mit, daß er sich nach halbjähriger freier Abstinenz persönlich Forel gegenüber verpflichtet habe, alkoholische Getränke für immer zu meiden.« (CA VII, 1065)

40,15 *Abstinent:* (lat.) heute veraltet für: Abstinenzler, Anhänger der Enthaltsamkeit gegenüber Genussmitteln, besonders in Bezug auf Alkohol. Beeinflusst von Entwicklungen und Diskussionsprozessen in den USA, breitete sich die Abstinenzbewegung in Europa seit den 1870er Jahren stark aus.

40,31–41,2 *Bunge ... Everett:* Gustav von Bunge (1844–1920), vgl.
Nachwort S. 195. – Everett: Gemeint ist vermutlich der aus Wales
stammende Priester und Politiker Robert Everett (1791–1875), der
sich in den USA für die Prohibition einsetzte. Aus einem »Bericht«
Everetts wird in Bunges Schrift *Die Alkoholfrage* (Leipzig 1887,
S. 14) ohne Quellenangabe zitiert. Loth übernimmt die Stelle im
Folgenden nahezu wörtlich.

41,4 *Notabene:* (lat.) beachte, übrigens.

41,16 f. *äußert sich so zu sagen bis in's dritte und vierte Glied:* Anspielung auf 2. Mose 20,5. Das Thema der Vererbung hatte vor Hauptmann schon Ibsen auf die Bühne gebracht, z. B. in den Figuren des
Dr. Rank (in *Nora oder Ein Puppenheim*) und des Osvald Alving
(in *Gespenster*). Die erbgutschädigenden Wirkungen des Alkoholmissbrauchs hatte Zola an Etienne Lantier, der Hauptfigur seines
Romans *Germinal*, geschildert. Hauptmann griff das Thema des
Alkoholismus später wiederholt auf (vgl. *Das Friedensfest*, 1890,
und *College Crampton*, 1892). In seiner Autobiographie distanzier-
te er sich dann davon, dass der Trunksucht eine so große Bedeutung für die Degeneration zugemessen wurde (CA VII, 1065).

41,17 f. *das ehrenwörtliche Versprechen ... nicht zu heirathen:* vgl.
Anm. zu 125,24 f.

42,4 *Euer Aaler:* Euer Alter; gemeint ist Krause.

42,24 *Titte:* eigtl.: Mutterbrust; hier Schwimpfwort für die Frau,
auch geistig beschränkter Mensch.

42,29 *zeucht se an Flunsch biis hinger beede Leffel:* (schles.) zieht sie
einen Schmollmund, der bis hinter beide Ohren geht.

42,30 *Schillerich:* (verballhornend) Friedrich Schiller (1759–1805), dt.
Schriftsteller.

Gethemoan: Goethemann: (verballhornend) Johann Wolfgang
Goethe (1749–1832), dt. Schriftsteller.

42,31 *kinn'n als lieja:* Die Formulierung, dass die Dichter lügen, geht
bis auf die Antike zurück. Eine ihrer Ausgangspunkte ist Platons
Kritik am Wahrheitsgehalt der nachahmenden Kunst (*Politeia /
Der Staat*, um 380–370 v. Chr., 10. Buch). Vgl. unter Hauptmanns
Zeitgenossen z. B. Nietzsche in *Also sprach Zarathustra*: »die

Dichter lügen zu viel« (Zweiter Teil, 1883, »Auf den glückseligen Inseln«).

43,1 f. *Urnar zum Kränke krieja iis doas:* (schles.) Ursache zum Kränkekriegen ist das, d. h. zum Verzweifeln, zum Verrücktwerden. »Kränke« bedeutet umgangsspr. auch Fallsucht, Schwindsucht, Krampf.

43,6 *Helenen:* Dativ von Helene.

45,27 *Mahr Dich aus:* Schwatz' dich aus.

Zweiter Akt

47,8 *dengelt:* vgl. Anm. zu 48,1 f.

48,1 f. *Dengelhammers:* Hammer zum Dengeln, also zum Schärfen von Sensen und Sicheln.

48,16 *Kratsch'm:* Kretscham (slaw.-schles.) Dorfschenke.
Gostwerthlops: Gastwirtstrottel, -lump.

48,19 *Stärzen:* Sterzen: Pflugsterz, Griff zum Führen des Pfluges.

48,20 *Gittla:* (schles.) kleine Landwirtschaft, Gütchen.

48,22 f. *Trink ... ei ... Briderla, trink:* Eingangszeile eines populären Trinkliedes, das im 19. Jh. besonders in studentischen Kreisen verbreitet war.

48,23 *Kurasche:* Courage (frz.): Mut, Tapferkeit.

49,10 *im bloßen Kopf:* ohne die übliche Kopfbedeckung (also: sehr in Eile und plötzlich).

49,21 f. *dabei fixirt er seine Tochter mit lascivem Blicke:* lasziv: anstößig, unanständig, schlüpfrig. – Das Inzest-Motiv findet sich auch in Ibsens »Schauspiel« *Rosmersholm* (1886): Rebekka wird von ihrem Vater, Dr. West, sexuell missbraucht (3. Akt).

50,15 *Hemdkragen:* hier vermutlich der angeknöpfte hohe Stehkragen des Oberhemdes (»Vatermörder«), im Unterschied zum umgeschlagenen Hemdkragen, der einem informellen Kleidungsstil entsprach.

50,22 *Gusche:* (schles.) Gosche, Mund, Maul.

50,23 *Stachetenzaun:* Staketenzaun: Gartenzaun aus Holzlatten.

51,12 *Extirpator:* Exstirpator (lat.): ›Ausrotter‹; schweres Bodenbear-
beitungsgerät zum Vernichten des Unkrauts und Umreißen der
Stoppeln.

51,14 *Hä:* (schles.) Heu.

51,16 *Dare:* (schles.) ungezogener Kerl; Beibst schimpft auf die
Sense.

51,25 *derhingern:* (schles.) verhungern.

52,13 *Seide und Quecka:* Seide: auch Teufelszwirn, blatt- und wurzel-
lose, fadenartige Schmarotzerpflanze. – Quecka: Quecke, Grasgat-
tung, dem Weizen nahe verwandt, aber ein schwer vertilgbares
Unkraut.

52,15 *Ikariern:* Ikarier: Anhänger des frz. Rechtsanwalts, Publizisten
und utopischen Kommunisten Etienne Cabet (1788–1856). Der
Name geht auf Ikaros zurück, der nach dem griech. Mythos zusammen mit seinem Vater Daidalos mit selbstgefertigten Flügeln aus
dem Labyrinth des Minotaurus auf Kreta flüchtete, in dem sie ge-
fangen gehalten wurden. Da Ikaros der Sonne zu nahe kam,
schmolz das Wachs seiner Flügel, und er stürzte ab. Daidalos
nannte die Insel, auf der er seinen Sohn beigesetzt hatte, Ikaria. –
Mit seinen zahlreichen Schriften übte Cabet besonders auf die frz.
Arbeiterbewegung einen starken Einfluss aus. Als sein Hauptwerk
gilt der seinerzeit stark verbreitete, in viele Sprachen übersetzte
utopische Staatsroman *Voyage et aventures de Lord W. Carisdall en
Icarie* (anonym, Paris 1840; dt. *Reise nach Ikarien,* 1847), in dem
der Autor die Idee einer kommunistischen Produktionsgenossen-
schaft entwarf. Mit ihrer Verwirklichung, die Cabet seit 1848 in
kommunistischen Gemeinden in Texas und der Mormonenstadt
Nauvoo versuchte, hatte er allerdings kein Glück. Die »Ikarier« bildeten eine der bedeutendsten Gruppierungen des utopischen
Kommunismus, ihr Scheitern entfachte rege Diskussionen, vgl.
dazu z. B. Karl Kautsky, »Kommunistische Kolonien«, in: *Die Neue
Zeit* 5 (1887) H. 1, S. 28–33. Wenige Jahre nach der Veröffentlichung
von Hauptmanns Drama verfasste Lux eine kritische Darstellung
der Lehren und Experimente Cabets und seiner Anhänger, die er
den »Genossen der verflossenen Gesellschaft ›Pacific‹« widmete

(*Etienne Cabet und der Ikarische Kommunismus. Mit einer historischen Einleitung*, Stuttgart 1894).

53,15 *Holzpantinen:* Pantine: mundartl. in Norddeutschland für Pantoffel mit Holzsohle gebraucht.

53,18 *bloßes Mieder:* nicht mit einem Tuch o. Ä. bedecktes Mieder.

53,20 *Voater:* Vater: hier Anrede für einen älteren Mann.

53,26 *Forr:* (schles.) Pfarrer.

53,28 *Roawer:* Radwer: eigtl. Radtrage, einrädrige Schubkarre mit zwei Holmen.

54,9 *zängst:* (schles.) zunächst, längs.

54,11 *verzimmern:* mit Balken, Bohlen und Brettern abstützen; hier auf die Stollen des Bergwerks bezogen. Vermutlich handelt es sich bei dieser Passage um eine Reminiszenz an Zolas Roman *Germinal*, in dem die Entlohnung der Verzimmerung ein erbitterter Streitpunkt zwischen den Bergarbeitern und der Bergwerksgesellschaft ist. Die Höhe des Lohnes richtete sich in der Regel nach der Menge der abgebauten Kohle, so dass die auf die Verzimmerung verwandte Arbeitszeit das Einkommen schmälerte.

Barchmoanne: (schles.) Bergmänner, Bergarbeiter.

54,17 *Kloaftern:* Klafter: altes Längenmaß, auch Raummaß für Holz.

54,22 *meschante: meschant* (frz.) hier: boshaft, ungezogen.

54,25 *Nupperschsuhn:* (schles.) Nachbarssohn.

54,26 *blußig:* (schles.) nur, kaum (im Sinn einer verstärkenden Einschränkung).

54,27 *Gitte:* (schles.) Güte.

55,3 *'s iis a su 'nei kumma:* (schles.) Es ist so hineingekommen. – Zur wirklichen Ursache vgl. in der vorl. Ausg. S. 64,11–13.

55,12 *geknutscht:* (schles.) gequetscht.

55,23 *Geknackse:* (schles.) Geschieße.

55,30 *Dunggabel:* Mistgabel, Forke.

56,9 *Rootha Se!:* (schles.) Raten Sie!

56,16 *Ducterluder:* Doktorluder, der verfluchte Doktor.

58,2 *Werther: Die Leiden des jungen Werthers* (1774), empfindsamer Briefroman von Goethe. Der Titelheld nimmt sich aus Verzweiflung über seine unglückliche, aussichtslose Liebe das Leben. Die

Lektüre spiegelt Helenes seelische Verfassung und verweist auf das tödliche Ende, das im Übrigen in einer Szene des Romans vorgebildet ist: Werther erzählt Albert, dem Verlobten von Lotte, von einer jungen Frau, die »alle ihre Hoffnungen« auf einen Mann geworfen hatte und, nachdem sie von ihm verlassen worden war, keinen anderen Ausweg als die Selbsttötung wusste (Brief vom 12. August 1771 in der Fassung von 1774, zit. nach der von Matthias Luserke herausgegebenen Studienausgabe, Stuttgart 1999, S. 101).

58,3–6 *Das ist ein dummes Buch ... ein Buch für Schwächlinge:* Loths Charakterisierung nimmt Alberts Urteil über den »Selbstmord« als »Schwäche« auf (*Die Leiden des jungen Werthers*, Brief vom 12. August 1771). Sie erinnert darüber hinaus an kritische Urteile Heinrich Heines und schließt an zeitgenössische Wertungen von Goethes Roman an (vgl. Karl Hillebrand, »Die Werther-Krankheit in Europa«, in: K. H., *Culturgeschichtliches. Aus dem Nachlasse*, hrsg. von Jessie Hillebrand, Berlin 1885, S. 102–142; Martin 2013, S. 260 f.).

58,15 *Kampf um Rom von Dahn:* Felix Dahn (1837–1912), dt. Rechtshistoriker und besonders erfolgreicher Vertreter des zeitgenössischen Professorenromans. In seinem vielgelesenen historischen Roman *Ein Kampf um Rom* (4 Bde., Leipzig 1876–78) schildert er den heldenhaften Kampf der Ostgoten und die Verteidigung ihrer Herrschaft in Italien. Dahn war der »mystische Pate« eines ›pangermanischen Geheimbundes‹, eines Freundschaftsbundes, den Ploetz, Lux und die Brüder Hauptmann 1878 in Breslau gegründet hatten. Vor allem Ploetz wurde von den Romanen Dahns stark beeinflusst (vgl. CA VII, 775). Hauptmann regten sie 1880 zu den fragmentarischen Gesängen *Hermann* an (CA XI, 609–629, 635–639). Von den ›modernen‹ Autoren wurde Dahn dagegen strikt abgelehnt. Hauptmann diente die Wahl des Romans dazu, die Lebenseinstellungen von Helene und Loth zu kontrastieren (›Leiden‹ vs. ›Kampf‹).

58,18–20 *Einem vernünftigen Zweck ... wirkt vorbildlich:* weil es kampfesmutige Menschen darstellt. Loth betont den Nutzen der Kunst, Hoffmann dagegen das ästhetische Vergnügen (vgl. in der vorl. Ausg. S. 15,25 f.). Vor dem Hintergrund der bürgerlichen Aufklärung, die Horaz' Zweckbestimmungen des *prodesse* (›nützen‹) und *delectare* (›erfreuen‹) (*Ars Poetica / Die Dichtkunst*, 14 v. Chr., V. 333 f.) erneuerte, sind beider Positionen für sich genommen also einseitig. Loths Forderung, der Dichter solle die Menschen nicht so schildern, »wie sie sind, sondern wie sie einmal werden sollen«, erinnert an die bei Aristoteles referierten Worte, mit denen Sophokles seine Tragödien von denen des Euripides unterschied (*Poetik*, entst. wahrscheinlich ab 335 v. Chr., 25. Kap.).

58,23 *Zola und Ibsen:* Émile Zola (1840–1902), frz. Romanschriftsteller, eigentlicher Begründer und Hauptvertreter des frz. Naturalismus. – Henrik Ibsen (1828–1906), norweg. Dramatiker. Beide Autoren übten auf den Naturalismus im Allgemeinen und auf Hauptmann im Besonderen starken Einfluss aus (vgl. Nachwort, passim). Zola wurde vor allem mit seiner Theorie des Experimentalromans (*roman expérimental*, vgl. Anm. zu 58,28) und einigen Romanen des Rougon-Macquart-Zyklus (20 Bde., 1871–93) maßgebend für die deutschen Naturalisten, Ibsen wirkte auf sie ausschließlich durch seine gesellschaftskritischen Stücke, in denen er nahezu alle wichtigen Zeitthemen zur Sprache brachte (Vererbung und Milieutheorie, Befreiung des Individuums aus persönlichen und gesellschaftlichen Abhängigkeiten, Emanzipation der Frau).

58,25 *Es sind gar keine Dichter:* Hauptmann verwahrt sich in einem aus dem Nachlass veröffentlichten Fragment dagegen, hier mit Loths Worten identifiziert zu werden, wie es einige Kritiker offenbar getan hatten (CA XI, 754).

58,28 *Was Zola und Ibsen bieten, ist Medicin:* Das damit verbundene Bildfeld war in den 1880er Jahren weit verbreitet. In seinem Essay »Henrik Ibsen« bezeichnete Otto Brahm den Dramatiker als »Seelenarzt« und »Ethiker« und verglich ihn darin mit Zola: »Ibsen will heilen« (in: *Deutsche Rundschau* 49, 1886, S. 193–220, hier S. 219). Wilhelm Bölsche schloss seine Programmschrift mit dem optimistischen Ausblick auf ein Bündnis zwischen der Poesie und der Naturwissenschaft, dessen »Bestreben« es sei, den kranken Menschen der Gegenwart »gesund« zu machen (*Die naturwissenschaftlichen Grundlagen der Poesie. Prolegomena einer realistischen Ästhetik* [1887], neu hrsg. von Johannes J. Braakenburg, Tübingen 1976, S. 65). Zola selbst wandte die Metapher des Mediziners auf den Schriftsteller an. Im Vorwort zu seinem Roman *Thérèse Raquin* (2. Aufl., 1868; dt. Übers. und Nachw. von Ernst Sander, Stuttgart 1993) verteidigte er sich gegen den Vorwurf der Unsittlichkeit mit seinem wissenschaftlichen Interesse an abnormen Lebensvorgängen und verglich seine »analytische Arbeit« als Schriftsteller mit der, »die die Chirurgen an Leichen vornehmen« (S. 5). Die heilende Funktion des Schriftstellers betonte der Autor dann besonders in seiner Abhandlung *Le roman expérimental* (1879): Im literarischen Experiment legt der Romancier die durch Vererbung und Milieu bedingten Schäden des gesellschaftlichen Organismus bloß und hilft so Gesetzgebern und Politikern, sie zu bekämpfen bzw. zu vermeiden.

59,24 f. *Mein Kampf ist ein Kampf um das Glück Aller:* »Gemeinsames Glück« war die Leitidee des ikarischen Kommunismus (vgl. Anm zu 52,15). Wilhelm Bölsche sah die »Natur selbst erfüllt von einer tiefen, zwangsweisen Idealität«, die sich »in der höchsten Annäherung an das ideale Princip des grösstmöglichen Glückes der Gesammtheit« äußere (*Die naturwissenschaftlichen Grundlagen der Poesie*, S. 49 [s. Anm. zu 58,28]). – Vgl. dagegen die Position von Pastor Manders in Ibsens *Gespenstern*, eines borniert-konservativen Vertreters der norwegischen Staatskirche: »Das eben ist ja der Geist des Aufruhrs, hier in diesem Leben nach Glück zu verlangen. Haben wir Menschen denn ein Recht auf Glück? Nein […], wir sind da, um unsere Pflicht zu tun!« (Henrik Ibsen, *Gespenster. Ein Familiendrama in drei Akten*, aus dem Norweg. übertr. von Hans Egon Gerlach, Nachw. von Aldo Keel, Stuttgart 1992, S. 27 [1. Akt]).

60,20–27 *Es ist verkehrt, den Mord ... zweifels ohne steinigen:* Auf Wunsch Hauptmanns wurden diese Sätze später mit Rücksicht auf die politischen Verhältnisse in Nazi-Deutschland unterdrückt (vgl. Baseler, S. 468 f.). – Breite Aufmerksamkeit und Zustimmung unter den Zeitgenossen fand dieser aus der Sicht christlicher Ethik begründete Pazifismus besonders durch Bertha von Suttners (1843–1914) Antikriegsroman *Die Waffen nieder!*, der im gleichen Jahr wie Hauptmanns Drama erschien.

62,4 *Mein Vater war Siedemeister:* Seifensiedemeister. Wie Hauptmann in seiner Autobiographie berichtet, übte Ploetz' Vater diesen Beruf tatsächlich aus (CA VII, 690).

62,15 *Prinzipal:* (lat.) Geschäftsinhaber; Lehrherr.

62,24 *Haufe:* Nebenform zu Haufen.

63,5–25 *Ich hab auch ... mürrischer als früher:* Helenes Erzählung erinnert an das Schicksal von Frau Maheu in Zolas *Germinal* (7. Teil, 6. Kap.).

63,16 *Schlepper:* Bergmann, der einen Schlepptrog oder Förderwagen zieht.

63,20 *Fahrkunst:* Vorrichtung zur Personenbeförderung in Bergwerksschächten.

63,21 *schlagende Wetter:* Fachausdruck aus dem Bergbau, explosionsfähiges Gemisch aus Luft und brennbaren Gasen.

64,11 *gemuckscht:* mukschen (schles.): beleidigt, bockig sein; sich wehren.

64,15 *für Kutscher:* heute veraltet für: als Kutscher.

65,28 f. *Milchgelte:* Milchgefäß.

66,9 *Marzepane:* Marzipan; also hier: zerbrechlich, empfindlich.

66,17 *Denkzettel:* fühlbare Erinnerung, Strafe; urspr.: ein Notizzettel, dessen Aushändigung an den Schüler in den Jesuitenschulen mit einer körperlichen Züchtigung verbunden war; der Sache nach wohl auf 4. Mose 15,38 f. zurückgehend.

66,20 *Dein Vetter:* urspr. ›Vaterbruder‹, dann jeder männliche Verwandte. Das Personenverzeichnis bezeichnet Kahl als »Neffe der Frau Krause«.

Dritter Akt

67,7 f. *Er ist von Gestalt ... hat schwarzes Wollhaar:* vgl. Hauptmanns Beschreibung von Simon in seiner Autobiographie: Er »war ein kleiner, dicklicher Mensch mit kringligem Haupthaar« (CA VII, 888, vgl. auch 1010).

67,9 f. *Schwarzer Rock im Schnitt der Jägerschen Normalröcke:* Der Arzt, Naturforscher und Hygieniker Gustav Jäger (1832–1917) propagierte in seinem verbreiteten, 1880 zum ersten Mal erschienenen Buch *Die Normalkleidung als Gesundheitsschutz* eine aus reinen, tierischen Wollstoffen hergestellte Tracht, die als besonders gesund galt. Jeder Pflanzenfaseranteil am Gewebe war verpönt. Bei dem sog. Normalrock handelte es sich dabei um einen uniformartigen, zweireihigen, eng anliegenden und hochgeschlossenen Männermantel. Hauptmann war selbst zeitweilig »Anhänger des Jägerschen Wollregimes und seiner Vorschriften« (CA VII, 983, vgl. auch 928 f.).

67,15 f. *ein Zug von Sarkasmus liegt um seine Mundwinkel:* Von Simons »gutmütigem Spott« berichtet Hauptmann in seiner Autobiographie (CA VII, 1014, vgl. 888). – Sarkasmus: bitterer Hohn, beißender Spott.

68,12 f. *über die Folgen des Schnürens:* Geschnürt wurde die Schnürbrust oder das Mieder, ein Teil der Unterkleidung der Frau, der die weibliche Brust betonen und die Taille (»Wespentaille«) verengen sollte. Über die gesundheitsschädigenden Auswirkungen des Schnürens wie häufige Ohnmachten und Verdauungsstörungen vgl. Ferdinand Simon, *Die Gesundheitspflege des Weibes*, Stuttgart 1893, S. 124–131 (vgl. Anm. zu 119,1 f.).

68,21 *Affectirtheit:* Geziertheit.

68,21 f. *das entsetzliche Ende meines ersten Jungen:* Hoffmanns Sohn Fritz (in der vorl. Ausgabe S. 72,15) starb bereits im Kindesalter an Alkoholismus, vgl. die nähere Schilderung unten S. 127,26–28.

69,4 f. *Von seiner Mutter trennen ... gedeihlichen Entwicklung:* In Ibsens *Gespenstern* gibt Helene Alving ihren Sohn Osvald außer Haus, um ihn vom schädlichen Einfluss des Vaters fernzuhalten

(1. Akt). Doch der Ausbruch der Gehirnparalyse – die Folge jener Syphilis, an der Osvalds Vater gestorben ist – ist dadurch nicht aufzuhalten.

69,14 *Hirschberg:* Stadt im Riesengebirge.

69,28 f. *complimentirend:* mit höflichen Bemerkungen und Gesten geleitend.

70,27 *Galan:* (span.) Liebhaber (einer Frau); gemeint ist Kahl, vgl. in der vorl. Ausg. S. 66,15.

71,26 *Muttelchen:* Muttel, schles. Kosewort für Mutter.

73,9–76,22 *Jetzt weiß ich … Hörst Du:* Zu dem folgenden Gespräch zwischen Hoffmann und Helene vgl. man Noras berühmt gewordene Erklärung an ihren Ehegatten, Torvald Helmer, gegen Ende des 3. Akts von Ibsens Drama (vgl. Anm. zu 9,10).

75,6 f. *von Völkerverbrüderung, von Freiheit und Gleichheit:* Die Losung der Französischen Revolution (Égalité, Liberté, Fraternité), die die Zweite Französische Republik (1848–1852) zu ihrem Leitbegriff machte, lag auch Cabets utopischem Staatsmodell zugrunde (vgl. Anm. zu 52,15) und wurde schließlich von den Theoretikern der deutschen Sozialdemokratie übernommen (vgl. August Bebel, *Die Frau und der Sozialismus,* 17., unveränd. Aufl., Stuttgart 1893, S. 349). Hauptmann hat sich noch im Alter, wenn auch vorsichtig, zu dieser »Devise« bekannt (CA XI, 494).

75,19 f. *Von moralischen Skrupeln ist da keine Spur:* Loths Flucht am Schluss des Dramas wird Hoffmann tatsächlich recht geben. – *Skrupeln:* (lat.) Bedenken, Zweifel.

76,12 *compromittirt:* bloßstellt, schadet.

76,18 *heutzutage:* nämlich unter den Bedingungen des »Sozialistengesetzes«, das erst zum 1. Oktober 1890 aufgehoben wurde. Doch auch in den folgenden Jahren waren Sozialdemokraten noch häufig Benachteiligungen und Verfolgungen ausgesetzt.

77,6 f. *einem alten Universitätsfreunde … ähnlich:* Ploetz und Simon hatten in Zürich studiert. Auch Lux setzte nach Haft und Relegation seine Studien in Zürich fort.

77,17 *schöne Seelen:* Der auf Platon und Plotin zurückgehende – hier ironisch verwendete – Begriff wurde in der zweiten Hälfte des

18. Jh.s unter dem Einfluss der Empfindsamkeit und des Pietismus zu einem Modewort und meinte die ›innere Schönheit‹ eines Menschen. Goethes »Bekenntnisse einer schönen Seele« in dem Roman *Wilhelm Meisters Lehrjahre* (1795/96, 6. Buch) sicherten dem Begriff sein weiteres Fortleben. Philosophische Bedeutung erhielt er durch Schillers Abhandlung *Über Anmut und Würde* (1793), in der er eine Person bezeichnet, bei der Pflicht und Neigung eine harmonische Einheit bilden.

78,15 f. *Ich will die Lage der hiesigen Bergleute studiren:* vgl. Nachwort S. 196.

79,3 *descriptive:* deskriptiv: beschreibend, im Gegensatz sowohl zu explikativ (erklärend) als auch zu präskriptiv (vorschreibend, bewertend), also in objektiver Erkenntniseinstellung und mit protokollarischer Sachlichkeit, nach dem methodischen Vorbild der Naturwissenschaft und dem Wissenschaftsprogramm des Positivismus, das auch für die naturalistischen Schriftsteller verbindlich wurde (vgl. Anm. zu 58,28).

79,10 *Dünkel:* unbegründet hohe Meinung von sich selbst, Arroganz.

79,17 f. *alle die Verhältnisse, welche diese Lage bedingen:* Hinweis auf die soziologische Milieutheorie, für die besonders die Untersuchungen des frz. Philosophen und Historikers Hippolyte Taine (1828–1893) maßgebend waren, vgl. dessen *Histoire de la littérature anglaise* (1863).

80,22 *Büchse in's Korn geworfen:* (redensartl.) den Mut sinken lassen, aufgeben; eigtl. die Handlung des zur Kapitulation oder Desertion bereiten Soldaten, denn im Kornfeld ist seine Waffe schwer zu finden.

80,24 *chacun à son goût:* (frz.) jeder nach seinem Geschmack; jeder, wie er will.

81,2 f. *Ich halte den Instinkt ... geeigneten Wahl:* Loth wird sich später freilich gegen seinen »Instinkt« und für seine Prinzipien entscheiden (in der vorl. Ausg. S. 129 f.).

81,4 *frivol:* (frz.) leichtfertig, schlüpfrig, zweideutig.

81,6 f. *ich werde immer mehr zweifelhaft:* ich bezweifle immer stärker.

81,20 *Phrasengebimmel:* hohles Geschwätz.

81,22 *Buschmann:* Angehöriger eines kleinwüchsigen, hellfarbigen Eingeborenenvolkes im südlichen Afrika, u. a. in der seit 1884 bestehenden Kolonie Deutsch-Südwest, dessen Kulturstufe hier offenbar als verächtlich dargestellt wird.

82,6 *Zaspel:* heute nicht mehr gebräuchliches Garnmaß.

82,7 f. *leibliche und geistige Gesundheit der Braut:* vgl. in der vorl. Ausg. S. 116,21 f. und 127,20 f.

82,8 *conditio sine qua non:* (lat.) »Bedingung, ohne die nicht«, d. h. eine notwendige, nicht hinreichende Bedingung, die unbedingt erfüllt sein muss.

83,1 *Frauenemancipation:* Vor Hauptmann hatte bereits Ibsen in seinem Schauspiel *Nora oder Ein Puppenheim* das Thema auf die Bühne gebracht. Wie Ibsen konzentrierte sich Hauptmann dabei auf die Unterdrückung der Frau in der (aufsteigenden) Mittelschicht. In seinem Drama *Einsame Menschen* (1891) nahm Hauptmann dann das Thema erneut auf.

83,4 *der Agitator in der Westentasche:* im Kleinformat; hier spöttisch gemeint; vermutlich eine Anspielung auf Ernst Dohms *Der Aufwiegler in der Westentasche* (1849), eine Sammlung von Satiren.

83,8 *Cigarren rauchen? Hosen tragen?:* wie die skandalumwitterte frz. Schriftstellerin George Sand (1804–1876).

83,13 *das bewußte Bekenntniß abzulegen:* Helene wird es dann später tun, vgl. in der vorl. Ausg. S. 91,29–92,3. Vgl. dazu auch August Bebel, *Die Frau und der Sozialismus,* 17., unveränd. Aufl., Stuttgart 1893, S. 342, über die »Frau in der Zukunft«: »In der Liebeswahl ist sie gleich wie der Mann frei und ungehindert. Sie freit oder läßt sich freien [...].« Auguste Forel berichtet von eingeborenen Völkern, »bei welchen das Weib den Antrag stellt« (*Die sexuelle Frage. Eine naturwissenschaftliche, hygienische und soziologische Studie für Gebildete,* 4. und 5., verb. und verm. Aufl., München 1906, S. 169).

84,10 *Diner:* eigtl. Hauptmahlzeit des Tages, seit dem 18. Jh. in Deutschland zur Bezeichnung eines Festessens mit Gästen gebräuchlich.

84,11 *Eine Hand wäscht die andere:* lat. *Manus manum lavat.* In dieser

Form findet sich die zwischen gegenseitiger Hilfe und Bestechung schillernde Sentenz in Senecas Satire *Apocolocyntosis* (1. Jh. n. Chr.; dt. *Die Verkürbissung des Kaisers Claudius*; 9,6). Es handelt sich dabei um die verkürzte Version eines Verses des griechischen Dichters Epicharmos (um 540–460 v. Chr.). Die Fortsetzung lautet: »Gib etwas und nimm etwas«.

84,17 f. *Die Abenteuer des Grafen Sandor:* Gemeint ist vermutlich das von Johann Erdmann Gottlieb Prestel (1804–1885) herausgegebene und illustrierte »Sándor-Album«: *Reit-, Fahr- und Jagdereignisse aus dem Leben des Grafen Moritz Sándor* (3 Bde., Mainz 1868), in dem der Pferde- und Landschaftsmaler die Reitkünste des zu seiner Zeit als Sportsmann und Pferdezüchter weithin bekannten Moritz Graf Sándor (1805–1878) dokumentiert.

84,20 *aufliegen:* offen herumliegen.

85,15 *summirt einige Posten:* rechnet einige Zahlen zusammen.

86,5 f. *vertrackten:* schwierigen, auch ärgerlichen.

86,23 *biederen:* hier: einfältigen.

87,1 f. *im Reichstag nur eine Partei giebt, die Ideale hat:* Hauptmann lässt Hoffmann aus der Reichstagsrede vom 16. September 1878 zitieren, in der August Bebel das »Sozialistengesetz« angriff (Franz Klühs, *August Bebel. Der Mann und sein Werk*, Berlin 1923, S. 237). Auch Lux war Parteimitglied.

87,14 f. *Frauenfrage:* vgl. dazu Hauptmanns Schilderungen seiner Erlebnisse und Erfahrungen in Zürich (CA VII, 1056–59; die frühere Fassung ist abgedruckt in: Hauptmann, *Notiz-Kalender*, S. 495 f.). Die »Frauenfrage«, also die Frage, welche Stellung die Frau in Ehe, Familie, Gesellschaft und Staat einnehmen solle und könne, avancierte Mitte der 1860er Jahre zu einem Modethema in der öffentlichen Diskussion, die sowohl von bürgerlicher als auch von sozialistischer Seite geführt wurde, wenn auch mit unterschiedlicher Zielrichtung.

87,16 *Telephon:* Das Telephon wurde 1877 in Deutschland eingeführt. Diese Kommunikationstechnik war also noch verhältnismäßig jung. Ihr Vorhandensein verdeutlicht einmal mehr den Wohlstand in der Familie Krause (vgl. Anm. zu 111,9).

weckt: wecken: hier die Weckeinrichtung des Telephons betätigen, anläuten. Dass durch das Telephon »sogar gesprochen« wird, hielt Fontane immerhin für auffallend genug, um es in seiner Besprechung der Uraufführung eigens zu erwähnen (*Vossische Zeitung,* 21. Oktober 1889, zit. in: Schrimpf, S. 11).

87,25 *Putzmacherin:* Hutmacherin.

87,29 *Monetenberg:* Moneten (Studentensprache): Münzen, Geld.

87,31 *Gamaschen:* Gamasche: Bekleidung des Oberfußes oder der Wade aus Stoff oder weichem Leder zum Schutz der Schuhe etwa vor Straßendreck.

88,1 *Gehrock:* eleganter, knielanger, dunkler Männerrock (vermutlich Kurzform von ›Ausgehrock‹).

88,14 *lederne:* hier: zähe, langweilige.

89,12 *Epitheta:* (griech.) schmückende Beiwörter.

89,17 *Schock:* 60 Stück; hier übertragen gebraucht für eine große Menge. In Hoffmanns Worten klingt durchaus noch die ursprüngliche, landwirtschaftliche Bedeutung an: ein aufeinandergestapelter Haufen von 60 Garben.

89,24 *Pamphlete:* Pamphlet (griech.): Schmäh-, Flugschrift.

90,5 *demaskirt:* enttarnt, entlarvt.

90,14 *Portefeuille:* (frz.) Brieftasche.

90,30 *ohne Sang und Klang:* unauffällig, schlicht, bescheiden; aus der (christlichen) Begräbniszeremonie, die mit Liedgesang und Glockenklang begangen wurde.

Vierter Akt

93,10 *Glacéhandschuhe:* Handschuhe aus Glacéleder, einem sehr weichen Leder aus Lamm- oder Ziegenfellen.

94,13 *umgenommen:* umgelegt, sich umgehängt.

94,15 *Gooschla:* Golisch.

94,16 *Biema:* (schles.) Böhmer, alter böhmischer Groschen (vgl. Anm. zu 94,31); nach Einführung der Markwährung (1871) Bezeichnung für das Zehnpfennigstück.

94,30 *kullerig:* auch kollerig: gereizt, erbost; das dazugehörige Substantiv ›Koller‹ (Wutausbruch, Tobsuchtsanfall) geht auf das griech.-lat. Wort Cholera (Gallenbrechdurchfall) zurück.

94,31 *Greschla:* (schles.) Groschen, von lat. *grossus* ›dick‹; Zehnpfennigstück.

95,7 *Kropfe:* Kropf: tast- und sichtbare Vergrößerung der Schilddrüse am Hals, häufig wegen Mangelernährung oder Jodmangel.

98,13 *freu':* (schles.) frag'.

98,14 *Truppen:* (schles.) Tropfen.

98,17 *Oh jechtich!:* (schles.) Oh Jesus!

98,19 *Bälge:* Säuglinge, Kleinkinder; hier ohne abwertende Bedeutung. Das Wort bezeichnet urspr. eine abgezogene Tierhaut.

98,23 *neumalke Fenus:* neumalke: (schles.) milchgebend, frisch melkend; Venus: röm. Göttin der Liebe. Wie Hauptmann in seiner Autobiographie berichtet, trugen die Rinder auf dem Gut seines Onkels in Lederose »klassische Namen« (CA VII, 728).

98,26 *Pfaarknecht:* (schles.) Fuhrknecht.

99,7 *Pappekindla:* kleines Kind, das noch von Brei, also ›Pappe‹, ernährt wird.

99,10 *Frele:* (schles.) Fräulein.

99,15–109,1 *Widerlicher Mensch! … Aber wenn sie es nicht wären:* Zu der Liebesszene zwischen Loth und Helene, die von der zeitgenössischen Kritik als ein »Produkt der alten idealistischen Schule« abgewertet worden war, heißt es in einem Fragment aus dem Nachlass: »Man hat sich gewöhnt, das Wesen des Realismus im Stofflichen zu suchen. Schmutz, Gemeinheit, Rohheit etc., meint man, kennzeichne ihn, sei charakteristisch für ihn. Der Realismus charakterisiert sich jedoch nur durch die Form. Wie eine Sache gegeben wird, ob treu oder lügenhaft, nicht was für eine Sache gegeben wird, entscheidet die Frage, ob realistisch oder nicht, und darum auch ist die Liebesszene diejenige, welche meinem Ideal realistischer Naturwiedergabe am nächsten kommt. Sie ist vielleicht das am meisten Realistische des ganzen Stückes.« (CA XI, 755)

99,31 *gelt:* (umgangsspr.) im Schlesischen und Süddeutschen gebräuchlich für: nicht wahr?, entstanden aus: es möge gelten.

100,20 *Pietät:* nach lat. *pietas* ›Frömmigkeit, Barmherzigkeit, Ehr-furcht‹.

100,23 *Tröste, tröste mein Volk:* vgl. Jes. 40,1. Luther übersetzt »trö-stet«.

101,30–102,8 *Von jeher berausche ... und Zukünftiges:* Loths Äuße-rung erinnert an eine Reflexion Werthers (*Die Leiden des jungen Werthers*, Brief vom 22. Mai 1771) und steht in spannungsvollem Kontrast zu seinem ablehnenden Urteil über Goethes Roman (vgl. Anm. zu 58,3–6).

103,13 *majorenn:* (lat.) volljährig, mündig.

104,27–29 *Ich will Dir ... großen Anzahl Frauen:* Gerhard Kersten ist der Meinung, dass Hauptmann sich hier an eine Stelle aus Tolstois Roman *Anna Karenina* (1875–77) angelehnt habe: »Er [Levin] war sofort entschlossen, ihr [Kitty] zwei Dinge einzugestehen, näm-lich einmal, daß er nicht so sittlich rein sei wie sie, und zum Ande-ren, daß er religiös ungläubig. Das war unbehaglich, aber er hielt es für seine Pflicht, ihr das Eine wie auch das Andere sogleich zu beichten« (*Anna Karenina*, Roman in 6 Büchern von Graf N. L. Tolstoi, aus dem Russ. übers. von Wilhelm Paul Graff, 2., verb. Aufl., Berlin 1886, Bd. 2, S. 141; zit. nach: Kersten, S. 39).

105,20 *Du, Du liegst mir im Her–zen ...:* »Du, du, liegst mir im Her-zen, / du, du, liegst mir im Sinn. / Du, du, machst mir viel Schmer-zen, / weißt nicht, wie gut ich dir bin. / Ja, ja, ja, ja, weißt nicht, wie gut ich dir bin!« Verfasser und Komponist des um 1820 in Nord-deutschland entstandenen Liedes sind unbekannt. Das Lied war im 19. Jh. weit verbreitet durch den häufigen Abdruck in Gebrauchs-liederbüchern, studentischen Kommersbüchern und auf Liedflug-schriften.

106,9 *'s war Jemand:* vermutlich Hoffmann (vgl. die Verführungs-szene im 3. Akt).

107,6 f. *in ihr Horn blasen:* in jmds. Horn blasen; umgangsspr. Re-densart für: mit jmdm. einer Meinung sein; die Wendung bezieht sich auf das in früheren Zeiten gebräuchliche ventillose Horn, auf dem sich nur eine Tonart spielen ließ, oder auf das Trinkhorn, das bei geselligen Zusammentreffen z. B. im Wirtshaus reihum ging.

108,20 *dumm wie Bohnenstroh*: Die Redensart leitet sich von der Verwendung von Bohnenstroh für Bettsäcke oder Matratzen ab. Da das als Matratzenfüllstoff schlechter geeignete Bohnenstroh billiger als vergleichsweise Getreidestroh war, wurde es von den Armen bevorzugt. Bei Bohnenstrohverwendern setzte man entsprechend mangelnde Bildung mit Dummheit gleich.

108,21 f. *Du bist mir Alles in Allem*: Die Formulierung geht zurück auf Paulus (1. Kor. 15,28), der schreibt, Gott sei »alles in allem«. Über Pseudo-Dionysius Areopagita (6. Jh.) verbreitete sie sich in der mittelalterlichen Scholastik und Mystik. Als Hauptsatz der Alleinheitslehre erfuhr sie eine tiefsinnige spekulative Interpretation. Im 19. Jh. war der ursprüngliche theologische Sinn aber bereits verblasst.

109,7 *lei'st uff a Uhr'n?*: liegst (du) auf den Ohren?

Fünfter Akt

111,9 f. *Gasbeleuchtung*: Diese Beleuchtungstechnik setzte sich im letzten Drittel des 19. Jh.s auch in den ländlichen Regionen Deutschlands durch. Wie schon die Elektrizität (vgl. in der vorl. Ausg. S. 23,27 f.; 27,1; 87,28) und das Telephon (vgl. Anm zu 87,16) demonstriert auch die Gasbeleuchtung den Wohlstand der Familie Krause, der es ihr erlaubt, die neuesten technischen Errungenschaften bei sich zu installieren.

111,12 f. *unmenschen meglich*: menschenunmöglich.

111,24 *Nation*: hier ironisch für die Familie Krause.

112,8 *benimen*: (schles.) benennen, heißen.

112,9 *jappt*: jappen (berlin.): japsen, nach Luft schnappen, schwer und unregelmäßig atmen.

112,18 *Strambach*: (schles.) strambach machen, strammstehen; hier also und durchaus ironisch: »Strammgestanden!« – Hauptmann charakterisiert Simon in seiner Autobiographie als »derb und geradsinnig« (CA VII, 888).

113,8 *fossilen*: fossil (lat. *fossilis*): vorweltlich, urzeitlich; hier scherzhaft gebraucht.

114,8 *umgestoßen:* umstoßen (schles.): einen kurzen Besuch machen.

115,1 *Himmelhunde:* Schurken, Schufte; grobes Schimpfwort. »Himmel-« hat eine verstärkende Funktion.

115,6 *Jena:* vgl. Anm. zu 9,10.

115,9–11 *In Zürich ... Nothfall zu haben:* Wie Ploetz war auch Simon »vor den Häschern des Sozialistengesetzes unter den Schutz des [schweizerischen] Asylrechtes« nach Zürich geflüchtet (GH Hs 384, 979). Dort wandte sich der promovierte Naturwissenschaftler »aus einem gesunden praktischen Grunde« dem Medizinstudium zu (GH Hs 384, 985), das er im November 1889 mit dem Staatsexamen abschloss. Aus Furcht vor einer polizeilichen Verhaftung hielt sich auch Hauptmann im Jahre 1888 mehrere Monate in der Schweizer Stadt auf (CA VII, 1055–81).

115,13 *Medicus:* (lat.) Arzt; hier scherzhaft.

115,17 *Kies:* (umgangsspr.) Geld.

115,18 f. *Sundainseln:* Teil des Malaiischen oder Ostindischen Archipels, Ende des 19. Jh.s teils in portugiesischem, teils in niederländischem Kolonialbesitz.

115,19 f. *mein Knabenstreich ja mittlerweile verjährt war:* Aufgrund seines Engagements im Verein »Pacific« konnte Simon zunächst nicht nach Deutschland zurückkehren.

116,20 *Dalekarlierin:* Bewohnerin von Dalekarien, auch Dalarna oder Dalarne (schwed., die Täler), einer Landschaft im nördlichen Mittelschweden, die in der schwed. Geschichte wiederholt eine bedeutende Rolle spielte. In Dalekarien liegt auch die Bergwerksstadt Falun, Schauplatz eines wunderbaren Ereignisses, mit dem sich das Bild der treuen Geliebten verbindet. Nach jahrzehntelangem Warten begegnet eine alte Frau noch einmal ihrem toten Geliebten, der am Vorabend der Hochzeit bei einem Grubenunglück ums Leben kam, aber dank des Kupfervitriols, das seinen Körper durchtränkt hat, sein ursprüngliches Aussehen vollständig bewahrt hat. Der Stoff wurde u. a. von Johann Peter Hebel (*Unverhofftes Wiedersehen,* 1810) und E. T. A. Hoffmann (*Die Bergwerke zu Falun,* 1819) bearbeitet.

116,28 *Degeneration:* ›Entartung‹; hier: körperlicher und geistiger

Verfall, der durch ungesunde Lebensweise wie unmäßigen Alkoholkonsum, durch Krankheit oder Vererbung verursacht sein kann.

117,2–4 *man hört ... das Wimmern der Wöchnerin:* Wöchnerin, Frau im Wochenbett. Der Ausdruck ›Wochenbett‹ leitet sich von dem Wort ›Sechswochenbett‹ ab, das sich auf die Sechswochenfrist bezieht, während der die Mutter nach der Geburt ihres Kindes im Bett bleiben sollte. (Otto Brahm hatte diese Bühnenanweisung bei der Berliner Uraufführung am 20. Oktober 1889 gestrichen.)

117,6 *durchmißt:* geht von Wand zu Wand, auf und ab.

117,12 *gelinden:* schwachen, leichten.

118,6 f. *frisch, frei, fromm, froh:* Die Worte wurden durch Friedrich Ludwig Jahn (1778–1852) populär, der sie, in veränderter Reihenfolge – »frisch, fromm, fröhlich, frei« – zum Turner-Wahlspruch machte. Jahn stützte sich auf den Vers »Frisch, frei, fro, frölich« aus Oswald von Wolkensteins (um 1377 – 1445) Lied *Got geb eu ainen güten morgen* (Nr. 82). Bei Hauptmann im Sinn von unbekümmert, mutig, bedenkenlos (vgl. CA VII, 800).

118,24 *Staupen:* Staupe, ansteckende, oft tödlich endende Hundekrankheit; hier ironisch.

119,1 f. *Die Frauenfrage war ... Dein Steckenpferd:* vgl. Anm. zu 9,10. – Sein »innerer Eifer«, schreibt Hauptmann in seiner Autobiographie über Simon, galt »der Emanzipation der Frau« (CA VII, 1012). 1890 veröffentlichte Simon in der *Freien Bühne für modernes Leben* den Aufsatz »Frauenstudium« (1, 1890, H. 2, S. 39–42), 1893 erschien in der Buchreihe *Internationale Bibliothek* der ärztliche Ratgeber *Die Gesundheitspflege des Weibes*, von dem bis 1920 elf Auflagen gedruckt wurden (vgl. Anm. zu 68,12 f.).

119,7 *in Harnisch:* Harnisch, mittelalterliche Rüstung; in Harnisch (sein): (umgangsspr.) zornig sein.

121,16 *heilig:* (schles.) halt, eben, wirklich, sicherlich.

122,23 *von der Leber weg:* rückhaltlos, ohne Scheu. Im antiken Griechenland galt die Leber als Sitz des Gemütes und der Leidenschaften. Die Redensart meint eigentlich, »das Organ durch freimütiges Reden von Ärger und Zorn befreien«.

123,5 *Flausen:* (umgangsspr.) dummes Geschwätz, Ausflüchte, Flun-
kereien.

123,26 *Colonial-Vereins:* des Vereins »Vancouver-Island« (vgl. Anm.
zu 19,19 f.).

124,28 f. *baut man ... auf'n Sandhaufen:* vgl. Mt. 7,26.

125,6 *Glorie:* Heiligenschein.

125,14 *Legirung:* durch Zusammenschmelzen mehrerer verschiede-
ner Metalle erzeugtes Mischmetall. Schon Goethe benutzte für die
Beschreibung von Geschlechterbeziehungen naturwissenschaftliche Vergleiche, wie in seinem Roman *Die Wahlverwandtschaften*
(1809), der im Titel einen Begriff aus der Chemie des 18. Jh.s auf-
greift.

125,20 *Frosch:* eigtl. in der Studentensprache abfällige Bezeichnung
für einen Schüler, der noch nicht die nötige Reife für das Universi-
tätsstudium hat.

125,24 f. *theoretisch längst verworfen habt, wie zum Beispiel Du die
Ehe:* vgl. in der vorl. Ausg. S. 41,17 f. Die Ehe in der vorliegenden
Form wurde von den Theoretikern der Sozialdemokratie als eine
historisch bedingte Institution betrachtet, die mit der Beseitigung
des Privateigentums und der kapitalistischen Warenproduktion
ihre Existenzberechtigung verlieren würde. Vgl. dazu bes. die
Schriften von August Bebel (*Die Frau und der Socialismus,* Zürich-
Hottingen 1879), Friedrich Engels (*Der Ursprung der Familie, des
Privateigentums und des Staates,* Hottingen-Zürich 1884) und Cla-
ra Zetkin (*Die Arbeiterinnen- und Frauenfrage der Gegenwart,*
Berlin 1889).

125,26 *laborirst:* laborieren: (umgangsspr.) sich an etwas abarbeiten,
sich mit etwas abmühen (nach lat. *labor* ›Arbeit‹).

125,27 *Ehemanie:* Manie (griech.): Besessenheit, Sucht, Leidenschaft.

126,16 *Glaube, Liebe, Hoffnung:* in dieser Reihenfolge zusammenge-
zogen aus 1. Thess. 1,3 und 5,8. In veränderter Reihenfolge in 1. Kor.
13,13: »Glaube, Hoffnung, Liebe«. Vgl. die wiederkehrende Verwendung dieser Begriffssammlung in Hauptmanns Autobiographie (CA VII, 703, 716, 1060).

126,18 *Agonie:* (griech.) Todeskampf.

126,19 *Narkoticis:* (lat. Dat./Abl.-Pl.-Form) Narkoticum, d. h. Betäu-
bungs-, auch Rauschmittel.

126,29 f. *Du wirst Helene Krause … nicht heirathen können:* Auch Simon war von der Vererbbarkeit des Alkoholismus überzeugt, vgl.
seinen Aufsatz »Zur Alkoholfrage«, in: *Die Neue Zeit* 9 (1890/91),
Bd. 1, S. 483–490. Er vertrat die Auffassung strikter Enthaltsamkeit. Vgl. dazu seine Auseinandersetzung mit Karl Kautsky in *Die
Neue Zeit* (9, 1890/91, Bd. 2, S. 309–315; Kautskys Entgegnung
ebd., S. 344–354). Kautsky hatte den ›sektiererischen Fanatismus‹
der Abstinenzler kritisiert, für den ihm Hauptmanns Loth als Pa-
radebeispiel galt (»Der Alkoholismus und seine Bekämpfung«,
5. Kap., in: ebd., S. 77–89, bes. S. 86–89).

127,27 f. *mit drei Jahren bereits am Alkoholismus zu Grunde ging:* vgl.
Nachwort S. 194 f.

128,9 *Fusel:* minderwertiger Brantwein.

128,10 f. *vena saphena:* (lat.) »verborgene Vene«; Bezeichnung ver-
schiedener Venen, die am Fuß, Unter- und Oberschenkel verlaufen.

128,22 *Potatorenfamilie:* Potator (lat.): Trinker.

128,29 *Horrend:* (lat.) entsetzlich, schrecklich.

129,31–130,3 *wo solche vererbte Übel … rationelle Erziehung geben:* Zu
dem unter den Zeitgenossen vieldiskutierten Verhältnis zwischen
Vererbung und Erziehung vgl. auch Schimmelpfennigs Empfehlung an Hoffmann, das Neugeborene von der Mutter zu trennen
(in der vorl. Ausg. S. 69,4 f.).

130,19 *ich kann nicht anders:* Anspielung auf die Worte, mit denen
Martin Luther (1483–1546) angeblich seine berühmte Rede vor
dem Reichstag zu Worms abschloss: »Hier stehe ich! Ich kann
nicht anders! Gott helfe mir, Amen.« Auch für Loth wird das Ein-
stehen für seine Überzeugung zur Gewissensfrage. Die Wendung
gehörte zu den Leitsprüchen von Hauptmanns Jenaer Freundeskreis (CA VII, 893).

130,20 *cuvertirt:* kuvertieren (frz.): einen Brief in einen Umschlag
stecken (vgl. ›Kuvert‹ für Briefumschlag).

131,15 *billig:* hier: notwendig, angemessen.

132,13 f. *Nach einem letzten Blick ab:* Loth wendet sich also noch ein-

mal um, anders als sein biblischer Namensvetter, dem das von
Gott bei Strafe des Todes verboten wird (vgl. 1. Mose 19,17).

134,2 *Hirschfänger:* starkes Jagdmesser, mit dem man dem Hirsch
den Genickfang bzw. den Todesstoß gibt.

134,3 *Gehänge:* Messerscheide und Gürtelbefestigung.

Literaturhinweise

Ausgaben

Vor Sonnenaufgang. Soziales Drama. Berlin: C. F. Conrad's Buchhandlung, 1889. [Zit. als: E.]

Vor Sonnenaufgang. Soziales Drama. In: G. H.: Das gesammelte Werk. Ausgabe letzter Hand zum achtzigsten Geburtstag des Dichters. Abt. 1. Bd. 1. Berlin: S. Fischer, 1942. S. 263–371. [Zit. als: ALH.]

Vor Sonnenaufgang. Soziales Drama. In: G. H.: Sämtliche Werke. Centenar-Ausgabe zum hundertsten Geburtstag des Dichters. Hrsg. von Hans-Egon Hass. Bd. 1: Dramen. Frankfurt a. M. / Berlin: Propyläen Verlag, 1966. S. 9–98. [Zit. als: CA.]

Sämtliche Werke. Centenar-Ausgabe zum hundertsten Geburtstag des Dichters. Hrsg. von Hans-Egon Hass, fortgef. von Martin Machatzke und Wolfgang Bungies. 11 Bde. Frankfurt a. M. / Berlin: Propyläen, 1962–74. [Zit. als: CA, unter Angabe von Band und Seitenzahl.]

Zeugnisse

Hauptmann, Gerhart: Notiz-Kalender 1889 bis 1891. Hrsg. von Martin Machatzke. Frankfurt a. M. [u. a.]: Propyläen, 1982.

Hauptmann, Gerhart: Tagebücher 1897 bis 1905. Hrsg. von Martin Machatzke. Frankfurt a. M.: Propyläen, 1987.

Otto Brahm – Gerhart Hauptmann. Briefwechsel 1889–1912. Hrsg. von Peter Sprengel. Tübingen: Narr, 1985.

Gespräche und Interviews mit Gerhart Hauptmann (1894–1946). Hrsg. von Heinz D. Tschörtner in Zsarb. mit Sigfrid Hoefert. Berlin: E. Schmidt, 1994.

Forschungsliteratur

Atkinson, Ross: The Early Editions of Hauptmann's *Vor Sonnenaufgang*. In: The Papers of the Bibliographical Society of America 75 (1981) H. 1. S. 39–56.

Baseler, Hartmut: Gerhart Hauptmanns soziales Drama *Vor Sonnenaufgang* im Spiegel der zeitgenössischen Kritik. Eine rezeptionsgeschichtliche Modellanalyse: Karl Frenzel, Theodor Fontane, Karl Bleibtreu, Wilhelm Bölsche. Diss. phil. Kiel 1993.

Bellmann, Werner: Gerhart Hauptmann: *Vor Sonnenaufgang*. Naturalismus – soziales Drama – Tendenzdichtung. In: Interpretationen. Dramen des Naturalismus. Stuttgart 1988. S. 7–46.

Becker, Peter Emil: Zur Geschichte der Rassenhygiene. Wege ins Dritte Reich. Stuttgart / New York 1988. [Zu Alfred Ploetz: S. 58–136.]

Bernhardt, Rüdiger: Der Höhepunkt der naturalistischen Dramatik – Gerhart Hauptmanns *Vor Sonnenaufgang*. In: R. B.: Henrik Ibsen und die Deutschen. Berlin [Ost] 1989. S. 298–329 [Anm. S. 377–380].

– Sieg und Überwindung des Naturalismus. Gerhart Hauptmanns soziales Drama *Vor Sonnenaufgang*. In: Klassiker der deutschen Literatur. Epochen-Signaturen von der Aufklärung bis zur Gegenwart. Hrsg. von Gerhard Rupp. Würzburg 1999. S. 117–160.

– Das ›soziale Drama‹. Bedeutung, Funktion und Herkunft des Begriffs in der Moderne. In: Theodor Fontane, Gerhart Hauptmann und die vergessene Moderne. Hrsg. von Wolfgang de Bruyn, Franziska Ploetz und Stefan Rohlfs. Berlin 2020. S. 351–381.

Bleich, Erich Herbert: Der Bote aus der Fremde als formbedingender Kompositionsfaktor des deutschen Naturalismus. (Ein Beitrag zur Dramaturgie des Naturalismus.) Berlin 1936. [Zu *Vor Sonnenaufgang*: S. 122–131.]

Bleitner, Thomas: Naturalismus und Diskursanalyse. Ein sprechendes Zeugnis sektiererischen Fanatismus – Hauptmanns *Vor Sonnenaufgang* im Diskursfeld der ›Alkoholfrage‹. In: Praxisorientierte Literaturtheorie. Annäherungen an Texte der Moderne. Hrsg.

von Th. B., Joachim Gerdes und Nicole Selmer. Bielefeld 1999. S. 133–156.

Brauneck, Manfred: Literatur und Öffentlichkeit im ausgehenden 19. Jahrhundert. Studien zur Rezeption des naturalistischen Theaters in Deutschland. Stuttgart 1974.

Brückner, Benjamin: Familie erzählen. Vererbung in Literatur und Wissenschaft, 1850–1900. Freiburg i. Br. / Berlin / Wien 2019. [Zu *Vor Sonnenaufgang*: S. 207–228.]

Coupe, W[illiam] A[rthur]: An Ambigous Hero: In Defence of Alfred Loth. In: German Life and Letters 31 (1977) S. 13–22.

Cowen, Roy C.: Hauptmann-Kommentar zum dramatischen Werk. München 1980. [Zu *Vor Sonnenaufgang*: S. 35–44.]

– Der Naturalismus. Kommentar zu einer Epoche. München 1973. [Zu *Vor Sonnenaufgang*: S. 156–163.]

Delbrück, Hansgerd: Gerhart Hauptmanns *Vor Sonnenaufgang*. Soziales Drama als Bildungskatastrophe. In: Deutsche Vierteljahrsschrift für Literaturwissenschaft und Geistesgeschichte 69 (1995) H. 3. S. 512–545.

Dieckhöfer, Klemens: Dichtung und Medizin. Zur Persönlichkeitsstruktur, körperlichen Verfasstheit in seinem dichterischen Schaffen und zur medizinischen Profession der Arztfiguren in den Werken Gerhart Hauptmanns. Baden-Baden 2012.

Elm, Theo: Gerhart Hauptmann: *Vor Sonnenaufgang. Soziales Drama* (1889). Macht des Milieus – Freiheit des Handelns? In: Th. E.: Das soziale Drama. Von Lenz bis Kroetz. Stuttgart 2004. S. 155–169.

Giesing, Manuela: Ibsens Nora und die wahre Emanzipation der Frau. Zum Frauenbild im wilhelminischen Theater. Frankfurt a. M. / Bern / New York 1984. [Zu *Vor Sonnenaufgang*: S. 166–176 und Anm. S. 439–442.]

Guthke, Karl S.: Gerhart Hauptmann. Weltbild im Werk. 2., vollst. überarb. und erw. Aufl. München 1980. [Zu *Vor Sonnenaufgang*: S. 71–74 und Anm. S. 237.]

Heynen, Walter (Hrsg.): Mit Gerhart Hauptmann. Erinnerungen und Bekenntnisse aus seinem Freundeskreis. Berlin 1922.

Hildebrandt, Klaus / Kuczyński, Krzysztof A. (Hrsg.): Gerhart

Hauptmanns Freundeskreis. Internationale Studien. Włocławek 2006.

Hye, Allen E.: The Moral Dilemma of the Scientist in Modern Drama. The Inmost Force. Lewiston (NY) [u. a.] 1996. [Zu *Vor Sonnenaufgang*: S. 47–62.]

Ibarth, Helga: ›Bilddenken‹ im dramatischen Frühwerk Gerhart Hauptmanns. 1889–1903. Studien zum sinnbildlichen Verweis unter Berücksichtigung kunsthistorischer Perspektiven. Frankfurt a. M. [u. a.] 1998. [Zu *Vor Sonnenaufgang*: S. 93–127.]

Jaron, Norbert / Möhrmann, Renate / Müller, Hedwig: Berlin – Theater der Jahrhundertwende. Bühnengeschichte der Reichshauptstadt im Spiegel der Kritik (1889–1914). Tübingen 1986. [Zu *Vor Sonnenaufgang*: S. 84–99.]

Kafitz, Dieter: Struktur und Menschenbild naturalistischer Dramatik. In: Zeitschrift für deutsche Philologie 97 (1978) H. 2. S. 225–255. [Zu *Vor Sonnenaufgang*: S. 245–254.]

Kersten, Gerhard: Gerhart Hauptmann und Lev Nikolajevič Tolstoj. Studien zur Wirkungsgeschichte von L. N. Tolstoj in Deutschland 1885–1910. Wiesbaden 1966. [Zu *Vor Sonnenaufgang*: S. 28–48.]

Mahal, Günther: Naturalismus. München ³1996. [¹1975.]

Marshall, Alan: The German Naturalists and Gerhart Hauptmann. Frankfurt a. M. / Bern 1982.

Martin, Dieter: Tolstoi im deutschen Naturalismus. *Die Macht der Finsternis* als Vorbild für Gerhart Hauptmanns *Vor Sonnenaufgang*. In: Das Wort. Germanistisches Jahrbuch Russland 27 (2012/13) S. 83–93.

– Gerhart Hauptmann: *Vor Sonnenaufgang*. Braunschweig 2013.

McInnes, Edward: German Social Drama 1840–1900: From Hebbel to Hauptmann. Stuttgart 1976. [Zu *Vor Sonnenaufgang*: S. 122–128 und Anm. S. 260.]

Meier, Christel Erika: Das Motiv des Selbstmords im Werk Gerhart Hauptmanns. Würzburg 2005. [Zu *Vor Sonnenaufgang*: S. 50–67.]

Mellen, Philip: Gerhart Hauptmanns *Vor Sonnenaufgang* and the Parable of the Sower. In: Monatshefte für den deutschen Unterricht 74 (1982) S. 139–144.

Mittler, Rudolf: Theorie und Praxis des sozialen Dramas bei Gerhart Hauptmann. Hildesheim [u. a.] 1985. [Zu *Vor Sonnenaufgang*: S. 210–230.]

Möbius, Hanno: Der Naturalismus. Epochendarstellung und Werkanalyse. Heidelberg 1982. [Zu *Vor Sonnenaufgang*: S. 96–104 und Anm. S. 157 f.]

Müller, Theodor: Die Geschichte der Breslauer Sozialdemokratie. Tl. 2: Das Sozialistengesetz. Breslau 1925.

Niewerth, Heinz-Peter: Die schlesische Kohle und das naturalistische Drama: Gerhart Hauptmanns *Vor Sonnenaufgang* – Ideologie, Konfiguration und Ideologiekritik. In: Die dramatische Konfiguration. Hrsg. von Karl Konrad Polheim. Paderborn [u. a.] 1997. S. 211–244.

Ort, Claus-Michael: Zwischen Degeneration und eugenischer Utopie. Die Funktion der ›Kunst‹ in Gerhart Hauptmanns Dramen. In: Norm – Grenze – Abweichung: Kultursemiotische Studien zu Literatur, Medien und Wirtschaft. Michael Titzmann zum 60. Geburtstag. Hrsg. von Gustav Frank und Wolfgang Lukas in Zsarb. mit Stephan Landshuter. Passau 2004. S. 147–178. [Zu *Vor Sonnenaufgang*: S. 149–159.]

Osborne, John: Gerhart Hauptmanns *Vor Sonnenaufgang*: Zwischen Tradition und Moderne. In: Der Deutschunterricht 40 (1988) H. 2. S. 77–88.

Payrhuber, Franz-Josef: Gerhart Hauptmann. Stuttgart 1998. [Zu *Vor Sonnenaufgang*: S. 30–38.]

Rasch, Wolfdietrich: Zur dramatischen Dichtung des jungen Gerhart Hauptmann [1959]. In: W. R.: Zur deutschen Literatur seit der Jahrhundertwende. Gesammelte Aufsätze. Stuttgart 1967. S. 78–95 [Anm.: S. 301–303].

Requardt, Walter / Machatzke, Martin: Gerhart Hauptmann und Erkner. Studien zum Berliner Frühwerk. Berlin 1980. [Zu *Vor Sonnenaufgang*: S. 139–160.]

Roh, Yeong-Don: Gerhart Hauptmann und die Frauen. Studien zum naturalistischen Werk. Siegen 1998. [Zu *Vor Sonnenaufgang*: S. 109–112 und Anm. S. 244.]

Rosenbaum, Lars: Die Verschmutzung der Literatur. Zur historischen Semantik der ästhetischen Moderne im ›langen 19. Jahrhundert‹. Bielefeld 2019. [Zu Vor Sonnenaufgang: S. 273–306.]

Scherer, Stefan: Einführung in die Dramen-Analyse. Darmstadt
2010. [Zu *Vor Sonnenaufgang*: S. 123–131.]

Schley, Gernot: Die Freie Bühne in Berlin. Der Vorläufer der Volks-
bühnenbewegung. Ein Beitrag zur Theatergeschichte Deutschlands. Berlin 1967. [Zu *Vor Sonnenaufgang*: S. 45–55, 125–128 und
Anm. S. 146–148, 157 f.]

Schmidt, Günter: Die literarische Rezeption des Darwinismus. Das
Problem der Vererbung bei Émile Zola und im Drama des deut-
schen Naturalismus. Berlin [Ost] 1974. [Zu *Vor Sonnenaufgang*:
S. 159–168 und Anm. S. 205 f.]

Schößler, Franziska: Einführung in das bürgerliche Trauerspiel und
das soziale Drama. Darmstadt 2003. [Zu *Vor Sonnenaufgang*:
S. 69–71.]

Schrimpf, Hans Joachim (Hrsg.): Gerhart Hauptmann. Darmstadt
1976.

Sinden, Margaret: Gerhart Hauptmann: The Prose Plays. Toronto/
London 1957. [Zu *Vor Sonnenaufgang*: S. 16–28.]

Sprengel, Peter: Gerhart Hauptmann. Epoche – Werk – Wirkung.
München 1984. [Zu *Vor Sonnenaufgang*: S. 65–74.]

– Darwin in der Poesie. Spuren der Evolutionslehre in der deutschsprachigen Literatur des 19. und 20. Jahrhunderts. Würzburg 1998.
[Zu *Vor Sonnenaufgang*: S. 121–123.]

Steffen, Hans: Figur und Vorgang im naturalistischen Drama Gerhart
Hauptmanns. In: Vierteljahrsschrift für Literaturwissenschaft und
Geistesgeschichte 38 (1964) H. 3. S. 424–449. [Zu *Vor Sonnenauf-
gang*: S. 426–432.]

Stewart, Mary: Hauptmann, *Vor Sonnenaufgang*. In: Landmarks in
German Drama. Hrsg. von Peter Hutchinson. Oxford [u. a.] 2002.
S. 127–142.

Szondi, Peter: Theorie des modernen Dramas. 1880–1950. Frankfurt
a. M. ⁷1970. [Zu *Vor Sonnenaufgang*: S. 62–68.]

Tempel, Bernhard: Alkohol und Eugenik. Ein Versuch über Gerhart

Hauptmanns künstlerisches Selbstverständnis. Dresden 2010. [Zu *Vor Sonnenaufgang*: S. 26–58.]

Voigt, Felix A.: Die Aufnahme von *Vor Sonnenaufgang* in Hauptmanns Freundes- und Bekanntenkreis. In: F. A. V.: Hauptmann-Studien. Untersuchungen über Leben und Schaffen Gerhart Hauptmanns. Bd. 1: Aufsätze über die Zeit von 1880 bis 1900. Breslau 1936. S. 63–80.

Whitinger, Raleigh: Gerhart Hauptmann's *Vor Sonnenaufgang*: On Alcohol and Poetry in German Naturalist Drama. In: The German Quarterly 63 (1990) H. 1. S. 83–91.

Wolzogen, Ernst von: Freie Bühne. Berlins Publikum und Presse über Hauptmanns Drama *Vor Sonnenaufgang*. In: Die Gesellschaft. Monatsschrift für Litteratur und Kunst 5 (1889) H. 2. S. 1733–45.

Wulffen, Erich: Gerhart Hauptmanns Dramen. Kriminalpsychologische und pathologische Studien. Berlin ²1911. [Zu *Vor Sonnenaufgang*: S. 13–29 und Anm. S. 206.]

Zabludowski, Nina: Das Raumproblem in Gerhart Hauptmanns Jugenddramen. Berlin 1934. [Zu *Vor Sonnenaufgang*: S. 9–22.]

Zimmermann, Rolf Christian: Hauptmanns *Vor Sonnenaufgang*. Melodram einer Trinkerfamilie oder Tragödie menschlicher Blindheit? In: Deutsche Vierteljahrsschrift für Literaturwissenschaft und Geistesgeschichte 69 (1995) H. 3. S. 494–511.

Ziolkowski, Theodore: Scandal on Stage: European Theater as Moral Trail. Cambridge [u. a.] 2009. [Zu *Vor Sonnenaufgang*: S. 38–48 und Anm. S. 150–152.]

Lexikalische Hilfsmittel

Büchmann, Georg: Geflügelte Worte. Frankfurt a. M. / Hamburg 1957.

Küpper, Heinz: Illustriertes Lexikon der deutschen Umgangssprache. 8 Bde. Stuttgart 1982–84.

Mitzka, Walther: Schlesisches Wörterbuch. 3 Bde. Berlin 1963–65.

Nachwort

Die Uraufführung: gespaltenes Urteil

Die Uraufführung von Gerhart Hauptmanns dramatischem Debüt *Vor Sonnenaufgang*, die aus Zensurgründen als geschlossene Veranstaltung im neugegründeten Theaterverein »Freie Bühne« am 20. Oktober 1889 im Berliner Lessing-Theater stattfand, gehört zu den größten Skandalen der deutschen Theatergeschichte. Die Aufführung machte den 26-jährigen Dichter über Nacht einem größeren Publikum bekannt, verhalf in Deutschland dem Naturalismus auf der Bühne zum Durchbruch und trug zur stofflichen und stilistischen Erneuerung des deutschsprachigen Dramas und Theaters bei. Auch für Hauptmann selbst bedeutete *Vor Sonnenaufgang* eine Zäsur: den Beginn einer Karriere als dramatischer Schriftsteller und Theaterautor. Es überrascht daher nicht, dass er seine Autobiographie *Das Abenteuer meiner Jugend* (1937) mit dem Erscheinen dieses Dramas abschließt, durch das, wie er im Rückblick mit Stolz und nicht zu Unrecht urteilte, »eine eigenartige, kräftige deutsche Literaturepoche eingeleitet« wurde.[1]

Stück und Aufführung spalteten das Urteil von Publikum und Presse. Der Dichter wurde angefeindet und gefei-

---

1 CA VII, 1082. Vgl. *Zweites Vierteljahrhundert*, CA XI, 532. Hauptmanns Werke werden mit Band- und Seitenzahl nach der Centenar-Ausgabe zitiert. Ziffern, die im Text in runden Klammern Zitaten folgen, beziehen sich auf Seite und Zeile der vorliegenden Textausgabe. Vollständige Angaben zur Forschungsliteratur enthalten die »Literaturhinweise« (in der vorl. Ausg. S. 178–183).

ert, je nach politischem Standpunkt und persönlicher Betroffenheit. Von den Freunden, denen Hauptmann *Vor Sonnenaufgang* gleich nach Erscheinen im August 1888 geschenkt hatte, wurde das Drama euphorisch aufgenommen.[2] Aber auch Theodor Fontane (1819–1898), der ein Exemplar des Buches von Hauptmanns Verleger Paul Ackermann (1826–1903) erhalten hatte, reagierte begeistert. Der Romancier lobte besonders die »Kunst« der Dichtung, »die Composition, die Consequenz in Durchführung des Gedankens, die Knappheit des Ausdrucks, die Klarheit«[3] und feierte in Hauptmann »die Erfüllung Ibsen's«[4]. Fontane bot sich an, das Stück Otto Brahm (1856–1912), dem Vorstand der Freien Bühne, zur Aufführung zu empfehlen. Doch Brahm, dem ebenfalls ein Exemplar des Buches zugesandt worden war, hatte sich für eine Inszenierung bereits entschieden.[5]

Fontane gehörte zu den wenigen offiziellen Kritikern der Uraufführung, die über das Stück und seine Inszenierung ein positives Urteil fällten. Die überwiegende Mehrheit der professionellen Feuilleton-Kritik – und des Publikums – reagierte ablehnend.[6] Das Publikum bot ein

---

2 Vgl. die Zusammenstellung bei Voigt und in: Hauptmann, *Notiz-Kalender*, S. 153–191.

3 Brief Fontanes an Ackermann vom 8. September 1889 (zit. nach: Voigt, S. 73 f.). Auch in: Hauptmann, *Notiz-Kalender*, S. 169 f., hier S. 169.

4 Theodor Fontane, in: *Vossische Zeitung*, 21. Oktober 1889 (zit. nach: Schrimpf, S. 13). Vgl. schon Fontanes Brief an seine Tochter Mete vom 14. September 1889 (abgedr. in: Voigt, S. 76, Anm. 17).

5 Vgl. Voigt, S. 77.

6 Vgl. Wolzogen; Jaron, S. 84–99.

Verein Freie Bühne.

***

Sonntag, den 20. October 1889.

Vor Sonnenaufgang.

Soziales Drama in fünf Aufzügen von Gerhart Hauptmann.

Krause, Bauerngutsbesitzer	Hans Pagay.
Frau Krause, seine zweite Frau	Louise von Pöllnitz.
Helene, Krause's Tochter erster Ehe	Elsa Lehmann.
Hoffmann, Ingenieur, verheirathet mit Krause's anderer Tochter erster Ehe	Gustav Kadelburg.
Wilhelm Kahl, Neffe der Frau Krause	Carl Stallmann.
Frau Spiller, Gesellschafterin bei Frau Krause	Ida Stägemann.
Alfred Loth	Theodor Brandt.
Dr. Schimmelpfennig	Franz Guthery.
Beibst, Arbeitsmann auf Krause's Gut	Paul Pauly.
Guste,	Sophie Berg.
Liese, Mägde auf Krause's Gut	Clara Hayn.
Marie,	Antonie Ziegler.
Baer, genannt Hopslabaer	Ferdinand Meyer.
Eduard, Hoffmann's Diener	Edmund Schmasow.
Miele, Hausmädchen bei Frau Krause	Helene Schüle.
Die Kutschenfrau	Marie Gundra.
Golisch, genannt Gosch, Kuhjunge	Georg Baselt.

Ort der Handlung: ein Dorf in Schlesien.

Regie: Hans Meery.

Nach dem ersten Akt findet eine Pause statt.

Theaterzettel für die Uraufführung im Lessing-Theater, Berlin, 20. Oktober 1889. – © akg-images.

Schauspiel im Schauspiel [...]! Die Kämpfe zwischen Begeisterung und Ablehnung, Bravo und Pfui, Zischen und Klatschen, die Zwischenrufe, die Demonstrationen, die Unruhe, die Erregung, welche jedem Akt folgten, ja in das Spiel hineinplatzten, schufen das Lessing-Theater in ein Versammlungslokal um, das eine leidenschaftliche, wogende Volksmenge füllt.[7]

Die Aufführung polarisierte das Publikum. Im Zuschauerraum kam es zu tumultuarischen Szenen. Als am Ende des 2. Akts Helene ausspricht, dass ihre Stiefmutter mit ihrem Neffen, Helenes Bräutigam, ein Verhältnis hat, rief ein Besucher empört in den Saal: »Sind wir hier in einem Bordell?«[8] Und im Schlussakt schwenkte im Publikum ein Frauenarzt, der als Mitglied der Freien Bühne über den Inhalt des Stückes informiert war, eine Geburtszange, zum Zeichen, dass er der Gebärenden seine Dienste anbiete.

Der Unmut der Kritiker setzte sich in der Presseberichterstattung fort. Neben moralischen wurden ästhetische und politische Einwände vorgebracht. Die Kritik zielte sowohl auf den Inhalt des Stückes wie auf seine Dramaturgie und den Aufführungsstil. Obwohl das Theater mäßigend in den Text eingegriffen und die »gewagtesten Kraßheiten« eliminiert hatte,[9] geißelte die konservative Presse das Stück

---

7 Curt Baake, in: *Berliner Volksblatt*, 22. Oktober 1889 (zit. nach: Jaron, S. 96).
8 »Der Naturalismus vor Gericht«, in: *Freie Bühne für modernes Leben* 1 (1890) H. 5, S. 132–134, hier S. 134.
9 Paul Schlenther, *Gerhart Hauptmann. Sein Lebensgang und seine Dichtung*, Berlin ³1898, S. 101; vgl. Schley, S. 50–52.

als »schnapsduftende [...] Säufergeschichte«[10] und »Versündigung gegen Sitte, Gefühl und Geschmack«[11].

Aber auch die Dramaturgie wurde gerügt. Man vermisste den »dramatischen Konflikt« und beklagte, dass das Stück »epischer Natur« und daher langweilig sei.[12] Statt einer »sich steigernde[n] Handlung« fänden sich »Charakterbilder, Szenen aus dem Volks- und Gesellschaftsleben und Gespräche«.[13] Eine weitere »Schwäche« wurde darin gesehen, dass das Drama zu jenen »Tendenzdichtungen« gehöre, die »gegen die heutige Gesellschaft« gerichtet seien.[14] Gönnerhaft wurde dagegen das »Talent« des Debütanten gelobt, das sich nur weniger »unwürdigen Stoffen« widmen müsse, um voll zur Entfaltung zu kommen.[15] Auch die Leistung der Schauspieler fand Anerkennung.

10 Isidor Landau, in: *Berliner Börsen-Courier*, 20. Oktober 1889 (zit. nach: Jaron, S. 88).
11 Karl Frenzel, in: *National-Zeitung*, 21. Oktober 1889 (zit. nach: Jaron, S. 91).
12 Ebd., S. 92 f. Vgl. auch Landau (s. Anm. 10; zit. nach: Jaron, S. 89) und Maximilian Harden, *Die Gegenwart*, Jg. 18 H. 43 (zit. nach: Jaron, S. 98 f.).
13 Heinrich Hart, in: *Tägliche Rundschau*, 22. Oktober 1889 (zit. nach: Jaron, S. 94).
14 Ebd.
15 Isidor Landau, zit. nach: Jaron, S. 88. Vgl. auch Karl Frenzel, zit. nach: Jaron, S. 93.

Dieser »Lärm«, wie Paul Schlenther, einer der Mitbegründer der Freien Bühne, die Reaktion der Öffentlichkeit auf die Uraufführung des Stücks kopfschüttelnd bezeichnete,[16] ist nach weit mehr als hundert Jahren längst verhallt. Der Zeitenabstand, der die Gegenwart von den Entstehungs- und Rezeptionsbedingungen des Dramas trennt, macht es dem Leser schwer, die enorme Sprengkraft zu verstehen, die das Stück für die Zeitgenossen hatte. Provozieren kann heute allenfalls die Konzentration an moralischer und sozialer Zerrüttung: Trunksucht, Völlerei, Habgier, Ehebruch, sexuelle Ausschweifung, versuchter Inzest und Tierquälerei. Auch das Verhalten Loths, der Helene in den Tod treibt, ruft immer noch Widerspruch hervor. Dass es eine »Unflätigkeit« sondergleichen war, die Geburt eines Kindes auf der Bühne zu melden,[17] erfordert jedoch heute genauso einen historischen Kommentar wie die Proteste, die Hauptmanns Verstöße gegen etablierte Gattungsnormen auslösten. Darüber hinaus waren es zentrale Zeitfragen, deren politische Brisanz für den heutigen Rezipienten aber ohne geschichtliche Einordnung nicht mehr zu verstehen ist: Hauptmann spielt in seinem Drama nämlich verschiedentlich auf aktuelle (und teilweise persönlich erlebte) Ereignisse an, an deren Beurteilung sich die Geister schieden, so etwa auf den großen Bergarbeiterstreik, der im Frühjahr 1889 große Teile des Deutschen Reichs erfasst hatte, die

16 Paul Schlenther, *Wozu der Lärm? Genesis der Freien Bühne*, Berlin 1889.
17 *Zweites Vierteljahrhundert*, CA XI, 486.

»Leipziger Geschichte« (16,20), ein nur leicht verschlüsselter Hinweis auf den Breslauer Sozialistenprozess (»Geheimbundprozess«) von 1887, und die mit dem Namen »Bunge« (40,31) verbundene Streitschrift über die *Die Alkoholfrage* (1887) mitsamt ihren genetischen und sozialpolitischen Implikationen, aus der Loth bei der gemeinsamen Abendmahlzeit im 1. Akt zitiert. Hauptmann nahm hier Themen auf, die für die Zeitgenossen einen direkten politischen Problemzusammenhang bildeten. Die Auswahl dieser Themen ließ in konservativen Kreisen schnell den Verdacht aufkommen, Hauptmann sei ein Anhänger der verbotenen Sozialdemokratie, denn die Notlage der Arbeiter, die politische Verfolgung des Sozialismus, die verderblichen Folgen des Alkoholismus stellten drei eng miteinander verbundene Aspekte dessen dar, was man die »soziale Frage« nannte. Und dazu kam dann auch noch das Thema der Emanizpation der Frau hinzu.[18]

Biographische Hintergründe: Der Prozess gegen den Verein »Pacific«

Der Breslauer Sozialistenprozess, der vom 7. bis zum 17. November 1887 stattfand, richtete sich gegen die Mitglieder des Studentenvereins »Pacific«, der im Drama »Verein Vancouver-Island« genannt wird. Zu diesem Prozess war Hauptmann als Zeuge vorgeladen worden (obwohl ihm nach Ansicht des Gerichts »im Grunde ein Platz auf der

18 Vgl. Bellmann, S. 13–22.

Anklagebank gebührte«[19]). Den Angeklagten wurde zur Last gelegt, sich der »Geheimbündelei« schuldig gemacht und gegen das am 21. Oktober 1878 vom Reichstag beschlossene Reichsgesetz »gegen die gemeingefährlichen Bestrebungen der Sozialdemokratie« verstoßen zu haben.[20] Das Ziel des am 1. November 1883 polizeilich angemeldeten Vereins, der sich am utopischen Kommunismus Etienne Cabets (1788–1856) orientierte, war es, eine »Wirtschaftsgenossenschaft« in Nordamerika zu gründen (so lautete §1 des Statuts). Zum Zeitpunkt der Anklage war dieses Ziel allerdings bereits aufgegeben worden.

Zu den Mitgliedern des Vereins zählten außer Alfred Ploetz (1860–1940), der Vorsitzender war und die Kolonie leiten sollte, und Heinrich Lux (1863–1944), der der verbotenen Sozialistischen Arbeiterpartei Deutschlands (SAPD) angehörte, auch die Brüder Carl (1851–1921) und Gerhart Hauptmann, die für die Ressorts Wissenschaft bzw. Kunst und Bauten vorgesehen waren,[21] sowie Ferdinand Simon (1862–1912).[22] Ploetz war 1884 im Auftrag der Gesellschaft »Pacific« nach Iowa gereist, um die Reste der Ikarischen

19 Heinz Lux, »Der Breslauer Sozialistenprozeß. Auch eine Hauptmann-Erinnerung«, in: Heynen, S. 69–82, hier S. 71.
20 Vgl. Anm. zu 19,18–22.
21 Vgl. *Das Abenteuer meiner Jugend*, CA VII, 939.
22 Zu Ploetz vgl. Bernhard Tempel, »Jugendfreundschaft und lebenslange Auseinandersetzung: Gerhart Hauptmann und Alfred Ploetz (1860–1940)«, in: Hildebrandt/Kuczyński, S. 13–31; zu Ferdinand Simon vgl. Ursula Herrmann, »Ferdinand Simon (1862–1912) – Freund seit der Jugendzeit«, in: Hildebrandt/Kuczyński, S. 33–47.

Gründung Cabets zu studieren.[23] Seine Berichte waren letztlich aber so desillusionierend, dass der Plan wie bereits erwähnt fallengelassen wurde.[24]

Ploetz, Simon und Carl Hauptmann hatten sich durch die Flucht in die Schweiz der Verhaftung durch die deutschen Behörden entziehen können. Lux dagegen, der in Deutschland geblieben war, geriet der Polizei ins Netz. Der Prozess galt nicht nur ihm, sondern, »da man reinen Tisch machen wollte«, auch anderen, »die des Sozialismus verdächtig waren«, wie Hauptmann im Manuskript seiner Autobiographie schreibt, die gegenüber der dann später veröffentlichten Fassung eine weitaus deutlichere Sprache spricht. »Ihre Sache sollte gemeinsam in einem sogenannten Monstreprozeß verhandelt werden, ein Schauspiel, dem man in ganz Europa mit Spannung entgegensah.«[25]

Aufsehen erregte der Prozess besonders durch die vom Gericht geladenen Zeugen, zu denen u.a. der sozialdemokratische Reichstagsabgeordnete Wilhelm Liebknecht (1826–1900) gehörte. Lux wurde wegen Teilnahme an einer geheimen Verbindung und Verbreitung verbotener Druckschriften zu einer Haftstrafe von einem Jahr Gefängnis ohne Anrechnung der Untersuchungshaft verurteilt und am 18. Dezember 1888 von der Breslauer Universität relegiert. Von dem Vorwurf, Geld für die verbotene Partei eingesammelt zu haben, wurde er aber freigesprochen. Wegen seines Engagements für die Sozialdemokratie wurde Lux auch

23 Vgl. *Das Abenteuer meiner Jugend*, CA VII, 993.
24 Vgl. ebd., S. 1004. Vgl. auch Lux (s. Anm. 19). Ploetz' Briefe aus Amerika sind auszugsweise zitiert in: Müller, S. 214.
25 GH Hs 384, 951. Vgl. dazu insgesamt GH Hs 384, 949–953.

Gerhart Hauptmann. Porträtaufnahme von 1889.

später wiederholt eingekerkert.[26] Ploetz, und z. T. auch Lux, dienten Hauptmann als Vorbild für die Figur des Alfred Loth, Simon als Vorbild für die Figur des Dr. Schimmelpfennig.

Alkohol als Problem

Während seines mehrmonatigen Aufenthalts in Zürich 1888 traf Hauptmann die Freunde wieder. Durch die Vermittlung von Ploetz und Carl Hauptmann wurde er mit dem Psychiater Auguste Forel (1848–1931) bekannt, besuchte dessen Vorlesungen und machte in der von Forel geleiteten Nervenheilanstalt Burghölzli Studien.[27] Forel galt als einer der bedeutendsten Vertreter der internationalen Abstinenzbewegung. Unter seinem Einfluss hatten sich Carl Hauptmann und Ploetz zu Abstinenzlern entwickelt, Gerhart Hauptmann folgte ihnen zeitweilig.[28] Forel war nicht nur davon überzeugt, dass Alkoholkonsum erbgutschädigende Wirkungen habe; er vertrat auch die Ansicht, dass die Resistenzunfähigkeit gegen den Alkohol vererbbar sei[29] und dass »die Kinder von Trinkern[,] auch trinksüchtig« würden.[30] Es war daher durchaus kein »glat-

26 Vgl. Lux und Müller, S. 208–267, sowie Requardt/Machatzke, S. 43–50, 148.
27 Vgl. *Das Abenteuer meiner Jugend*, CA VII, 1057, 1063 f. und *Zweites Vierteljahrhundert*, CA XI, 544 f.
28 Vgl. Bruno Wille, »Erinnerungen an Gerhart Hauptmann und seine Dichtergeneration«, in: Heynen, S. 83–116, hier S. 106.
29 Bellmann, S. 15.
30 Vgl. seine 1890, kurze Zeit nach der Veröffentlichung von Haupt-

ter Unsinn«,[31] wenn Hauptmann in *Vor Sonnenaufgang* einen Dreijährigen zur Flasche greifen lässt, sondern eine zur Entstehungszeit des Dramas ernsthaft vertretene wissenschaftliche Lehrmeinung, deren prominentester Verfechter der Philosoph und Biologe Ernst Haeckel (1834–1919) mit seiner These von der Vererbbarkeit erworbener Eigenschaften war.[32]

In Zürich dürfte Hauptmann auch auf die von Loth zitierte Antrittsvorlesung des an der Universität Basel lehrenden Physiologen Gustav von Bunge (1844–1920) gestoßen sein, die 1887 unter dem Titel *Die Alkoholfrage* veröffentlicht worden war. Der Naturwissenschaftler schildert in seiner Schrift die verheerenden gesundheitlichen, wirtschaftlichen und sozialen Auswirkungen des Alkoholmissbrauchs, weist aber auch auf die Gefahren des mäßigen Alkoholkonsums hin. Auch Bunge war von der erbgutschädigenden Wirkung von Alkohol überzeugt. Ploetz und Simon schlossen sich dieser Auffassung an.[33] Für Simon war darüber hinaus der Alkoholismus ein sozialpolitisches Problem, dessen Lösung er in einer sozialistischen Umgestaltung der Gesellschaft sah.[34]

manns Drama gehaltene ›Ansprache‹ *Die Trinksitten, ihre hygienische und soziale Bedeutung. Ihre Beziehungen zur akademischen Jugend* (Stuttgart 1891, S. 19).

31 Wie Cowen (1973, S. 158) im Anschluss an die zeitgenössische Polemik von Conrad Alberti meint.

32 Vgl. Schmidt, S. 87, 115.

33 Vgl. Alfred Ploetz, »Alkohol und Nachkommenschaft«, in: *Neue Deutsche Rundschau* 6 (1895) H. 2, S. 1108–12.

34 Vgl. Ferdinand Simon, »Zur Alkoholfrage«, in: *Die Neue Zeit* 9 (1890/91), Bd. 1, S. 483–490, bes. S. 487.

Ein weiteres aktuelles Ereignis, das überhaupt erst verständlich macht, warum Hauptmann Loth eine volkswirtschaftliche Studie über die Lebens- und Arbeitsbedingungen der Bergleute in Angriff nehmen lässt, war der große Bergarbeiterstreik im Frühjahr 1889.[35] Anfang Mai war es im Ruhrgebiet zu einer mehrwöchigen Arbeitsniederlegung gekommen, die bald auch die Kohlenreviere in Schlesien und an der Saar erfasste. An dem spontanen Ausstand beteiligten sich zeitweilig mehr als 100 000 Bergarbeiter. Zu ihren Forderungen gehörten u. a. die Einführung der Achtstundenschicht und Lohnerhöhungen. Der Massenstreik veranlasste die Reichsregierung, Untersuchungskommissionen einzusetzen, deren Unabhängigkeit von den Ausständischen allerdings bezweifelt wurde. Wie die Eintragungen und eingeklebten Zeitungsausschnitte in Hauptmanns *Notiz-Kalender* dokumentieren, verfolgte der Dramatiker die Ereignisse mit großer Aufmerksamkeit und sichtlicher Sympathie für die Streikenden. Besonders das brutale Eingreifen der Ordnungskräfte, das Tote und Verwundete zur Folge hatte, beschäftigte ihn.[36] Hauptmanns Interesse an diesem Stoff verdankte sich vermutlich auch einer literarischen Reminiszenz: Émile Zolas (1840–1902) Bergarbeiterroman *Germinal* (1885), zu dem sein Drama zahlreiche intertextuelle Bezüge hat. Angeregt durch die

35 Vgl. Niewerth, S. 216. Zum geschichtlichen Hintergrund vgl. Oskar Hue, *Die Bergarbeiter. Historische Darstellung der Bergarbeiter-Verhältnisse von der ältesten bis in die neueste Zeit*, Bd. 2, Stuttgart 1913, S. 354–382.
36 Vgl. Hauptmann, *Notiz-Kalender*, S. 68–79, 82, 88–91.

blutige Niederschlagung des Bergarbeiterstreiks in Anzin (1884), schildert Zola in seinem »sozialen Roman«, wie *Germinal* im Untertitel der ersten deutschen Übersetzung hieß, die Lage der Grubenarbeiter in einem nordfranzösischen Kohlerevier, ihr bedrückendes Leben und ihren ausdauernden, aber erfolglosen Kampf um die Verbesserung ihrer Arbeitsbedingungen.

Die Entstehung des Dramas

Die Niederschrift des Dramas, zu der Hauptmann in Zürich den Grund gelegt hatte,[37] erfolgte innerhalb weniger Wochen im April/Mai 1889 in Erkner. Das »Bauerndrama« sei, hielt der Dichter in seiner Autobiographie fest, »in den sommerlich hellen Stunden vor Tage beinahe wie von selbst« entstanden.[38] Am 26. Mai las er den 1. Akt Frank Wedekind vor.[39] Spätestens Anfang Juni muss das Stück druckfertig gewesen sein, denn in seinem Brief an Hauptmann vom 7. Juni lobte Arno Holz, dem Hauptmann eine Abschrift überlassen hatte, *Vor Sonnenaufgang* überschwänglich als »das beste Drama, das jemals in deutscher Sprache geschrieben worden ist. *Tolstoi mit eingerechnet!*«[40] Der Hinweis auf den russischen Dichter war wahrscheinlich ein Echo auf Hauptmanns Empfehlung an Holz und Johannes Schlaf, die ihm am 8. Februar ihre gerade veröffentlich-

37 Vgl. *Das Abenteuer meiner Jugend*, CA VII, 1078.
38 Ebd., S. 1082; vgl. *Zweites Vierteljahrhundert*, CA XI, 532.
39 Vgl. Frank Wedekind, *Die Tagebücher. Ein erotisches Leben*, hrsg. von Gerhard Hay, Frankfurt a. M., S. 38.
40 Hauptmann, *Notiz-Kalender*, S. 92.

te, gemeinsam geschriebene Prosaskizze *Papa Hamlet* zu-
geschickt hatten, Leo Tolstois »dramatisches Sittenbild«
Die Macht der Finsternis (*Vlast 't'my*, 1886) zu lesen: »Sie
werden Ihren naturalistischen Dialog dort finden, vielleicht nicht so ausgebildet wie bei Ihnen.«[41] In der seinem
Drama vorangestellten Widmung dankte Hauptmann den
Autoren für die Anregungen, die er von *Papa Hamlet* erhalten hatte. Was ihn »stark, wenn auch [...] nicht entschei-
dend, angeregt« habe, schrieb er 1938 im Rückblick, sei der
Versuch gewesen, »die Sprechgepflogenheiten der Menschen minutiös nachzubilden durch unartikulierte, unvoll-
endete Sätze, monologische Partien, kurz, den Sprecher,
wie er stammelt, sich räuspert, spuckt, in früher unbe-
merkten Einzelheiten darzustellen, und dadurch in der Tat
etwas überraschend Neues« zu entwickeln.[42]

Von Holz stammte auch der mehrdeutige Titel des
Stücks, das Hauptmann ursprünglich »Der Säemann« nen-
nen wollte – »nach der Gestalt von Alfred Loth«[43] und unter
Anspielung auf das neutestamentliche Gleichnis vom Sä-

41 Brief vom 12. Februar 1889, zit. nach: Siegwart Berthold, *Der soge-
    nannte ›konsequente Naturalismus‹ von Arno Holz und Johannes
    Schlaf*, Diss. phil. Bonn 1967, S. 228–230, hier S. 229.
42 *Zweites Vierteljahrhundert*, CA XI, 495. Vgl. auch Hauptmann,
    Tagebücher 1897 bis 1905, S. 122 (18. Dezember 1897). Bei Haupt-
    manns späterer Bewertung ist der Zeitpunkt der Äußerung zu
    berücksichtigen.
43 *Zweites Vierteljahrhundert*, CA XI, 532. Der »neue Titel«, schrieb
    Holz in »Pro domo« (in: *Die Zukunft* 5, 1897, Bd. 20 [17. Juli],
    S. 122–131, hier S. 124), rückte »das Drama nicht mehr so grell in
    die leider noch immer vorhandene Tendenz«. – Zu den Bibel-
    Allusionen vgl. die Aufsätze von Coupe und Mellen.

mann, in dem es heißt, der ausgesäte Same – das Wort Gottes – werde nur bei denen fruchtbar, die Ohren haben, zu hören, und Augen, zu sehen (Mt. 13,1–23). Der neue Titel ersetzte die Figur durch die Tageszeit und verlagerte den Akzent vom handelnden Charakter auf die Situation, bleibt aber im Bildfeld einer sich zyklisch erneuernden Natur. Der biblische Bezug wird dadurch zwar relativiert, aber nicht völlig zurückgenommen, wie die alttestamentliche Anspielung zeigt. Wie Alfred Loth das verkommene Witzdorf, so verlässt sein biblischer Namensvetter Lot das sündige Sodom, an dem Gott sein Strafgericht vollzieht. Bei Sonnenaufgang sind beide gerettet. Und wie Helene bleibt auch Lots Frau tot zurück (vgl. 1. Mose 19,1–26).

Der Erstdruck des Dramas erschien Mitte August 1889 in C. F. Conrad's Buchhandlung in Berlin. Bereits im Dezember war die dritte Auflage verkauft.

Andere literarische Quellen

Zu den literarischen Anregungen seines dramatischen Erstlings hat Hauptmann sich mehrfach geäußert. In Tolstoi sah Hauptmann den »großen Paten«, dessen *Macht der Finsternis* in ihm die »Leidenschaft für das Drama als Kunstform« wieder geweckt habe.[44] Noch in seiner Auto-

---

44 *Generationen*, CA VI, 800, bzw. Hauptmann, *Tagebücher 1897 bis 1905*, S. 226 (5. November 1898). Vgl. auch ebd., S. 122 (18. Dezember 1897). Die vielzitierte Bemerkung Hauptmanns, *Die Macht der Finsternis* habe seinem dramatischen Schaffen »die entscheidende Wendung gegeben« (CA XI, 953), ist im Manuskript gestrichen.

biographie hob er das Vorbild hervor, das der russische Dichter für ihn darstellte, »der im Bodenständigen dort begonnen, womit ich nach langsam gewonnener Meisterschaft im Alter aufhören wollte«.[45] Bei Tolstoi fand Hauptmann die Nachtseiten des gesellschaftlichen Modernisierungprozesses im Medium einer Bauernfamilie dargestellt: die korrumpierenden Folgen plötzlichen Reichtums und einer bürgerlich-kapitalistischen Lebenseinstellung – Ehebruch, Trunksucht, Diebstahl und sogar Mord. Auch die Figur des außenstehenden Einzelnen (Akim), der mit den Verhältnissen unvertraut ist, die dramatische Handlung auslöst und zur Aufklärung der im Verborgenen liegenden Ereignisse beiträgt, findet sich hier vorgebildet. Und wie Loth ist Akim Abstinenzler.

Die wichtigsten inhaltlichen Unterschiede zu Tolstois Stück zeigen sich im Weltbild, dem Handlungsmotiv und seinen Folgen: Akim ist der christliche Mahner, der seine Hoffnung auf den göttlichen Heilsplan setzt und zur moralischen Umkehr aufruft, Loth der vom naturwissenschaftlichen Kausalitäts- und Fortschrittsdenken überzeugte Sozialreformer und »Agitator« (83,4), der sich von Wissenschaft und Politik eine grundlegende Veränderung der gesellschaftlichen Verhältnisse verspricht.[46]

Impulse hat Hauptmann für *Vor Sonnenaufgang* nach eigener Aussage auch von Henrik Ibsens »Familiendrama«

---

45 *Das Abenteuer meiner Jugend*, CA VII, 1076. Hauptmann las das »Dramatische Sittenbild aus dem russischen Volksleben«, wie der Untertitel lautet, in der 1887 in Berlin erschienenen Übersetzung von August Scholz (Kersten, S. 31, Anm. 13).

46 Vgl. Kersten, S. 28–48; Sprengel (1984), S. 68; Elm, S. 156; Martin (2012/13), S. 89–92.

Gespenster (*Gengangere*, 1881) erhalten, mit dessen Aufführung am 29. September 1889 die Freie Bühne eröffnet wurde. Hauptmann hatte das Stück zuvor in einer Inszenierung des Berliner Residenz-Theaters am 9. Januar 1887 gesehen. Diese Vorstellung, so schrieb er später, habe ihm das »wiedererstandene Theater« gezeigt: »Von da ab fühlte ich meinen Beruf.«[47] Mit Ibsens Drama teilt *Vor Sonnenaufgang* den Motivkomplex von Vererbung und Degeneration, die analytische Technik, die die Vorgeschichte der dramatischen Handlung enthüllt, den bekennerhaften, thesenhaft pointierten Dialog und die gesellschaftskritische Intention.

Übereinstimmungen lassen sich weiterhin mit Ibsens »Schauspiel« *Die Wildente* (*Vildanden*, 1884) feststellen: Wie Loth (und Tolstois Akim) kommt Gregers Werle, die Hauptfigur, von außen in das Milieu und setzt die dramatische Handlung in Gang. Und wie Loth tritt er mit dem Gestus des Rechthabers auf, der die zerrütteten Familienverhältnisse aufdeckt und an dem Tod einer weiblichen Person schuldig wird. Werles Gegenspieler, der liberale Arzt Dr. Relling, weist Parallelen zu Dr. Schimmelpfennig auf.[48] In der postum veröffentlichten Fortsetzung seiner Autobiographie nennt Hauptmann als weitere Quelle Zolas frühen naturalistischen Roman *Thérèse Raquin* (1867), der ebenfalls mit einer Selbsttötung endet.[49]

47 Hauptmann, *Tagebücher 1897 bis 1905*, S. 121 (18. Dezember 1897).
48 Vgl. Oellers, S. 406.
49 *Zweites Vierteljahrhundert*, CA XI, 533.

Vor Sonnenaufgang gilt als das erste deutschsprachige Drama, das im Untertitel die Gattungsbezeichnung »soziales Drama« führt. Hauptmann unterstrich mit dieser Wahl seinen Anspruch auf einen dramaturgischen Neuansatz. Die Gattung, schrieb er rückblickend in seiner Autobiographie, »wenn auch zunächst nur ein leeres Schema, lag als Postulat in der Luft. Es real ins Leben zu rufen, war damals eine Preisaufgabe, die gelöst zu haben so viel hieß wie der Initiator einer neuen Epoche zu sein.«[50]

1887 hatte Carl Bleibtreu (1859–1928) in der Neuauflage seiner Programmschrift *Revolution der Literatur* angemerkt: »Ein sociales Drama aus unserer Zeit wäre ja gewiss ein Ziel, aufs innigste zu wünschen.«[51] Die Gattungsbezeichnung findet sich jedoch bereits früher. So ist z. B. in Hermann Hettners (1821–1888) 1852 erschienener Abhandlung über das »moderne Drama« vom »bürgerlich sociale[n] Drama« die Rede, das der Autor allerdings noch mit dem bürgerlichen Trauerspiel identifizierte.[52]

Als einer der Ersten unternahm Julius Hillebrand (1862–1895) den Versuch einer Definition der Gattung, auch wenn er die Konsequenzen für die dramatische Form und ihre Wirkungsdimension noch nahezu unbeachtet ließ.[53]

50 *Das Abenteuer meiner Jugend*, CA VII, 1078.
51 Carl Bleibtreu, *Revolution der Literatur*, neue verb. und verm. Aufl., Leipzig [o. J.], S. 46. Im Erstdruck von 1885 fehlt diese Bemerkung noch.
52 Hermann Hettner, *Das moderne Drama. Ästhetische Untersuchungen*, Braunschweig 1852, S. 78, 79.
53 Zum Begriff des sozialen Dramas vgl. Elm, S. 11–43.

In einem »Naturalismus schlechtweg!« überschriebenen Artikel, der 1886 in der Zeitschrift *Die Gesellschaft* erschien, benennt er drei Differenzkriterien: Das »soziale Drama« unterscheide sich vom »bürgerlichen Trauerspiel«

> vor allem dadurch, daß es nicht blos Honoratioren, also Pfarrer, Kommerzienräte, Sekretärs oder Lieutnants, sondern auch den vierten Stand auf die Bühne bringt, zweitens dadurch, daß es in tieferm Erfassen der Motive auch die physiologische und pathologische Seite des Charakters zu beleuchten und an Stelle der abgedroschenen Spießbürgerkonflikte die großen Geisteskämpfe auf die Bühne zu bringen sucht, endlich dadurch, daß es den konventionellen Theaterjargon durch die *Sprache des Lebens* ersetzt.[54]

Als »erste[r] Versuch« und Vorbild in der neuen Gattung gilt Hillebrand Hebbels »bürgerliches Trauerspiel« *Maria Magdalene* (1844), das, wie am Rande auch *Vor Sonnenaufgang*, eine Vater-Tochter-Beziehung problematisiert, im Gegensatz zu Hauptmann aber die patriarchalische Stellung der Vater-Figur nicht in Frage stellt.

Von den drei (oder, je nach Zählung, vier) Bedingungen, die Hillebrand für die Gattung des sozialen Dramas aufstellt, werden zwei (bzw. drei) von *Vor Sonnenaufgang* erfüllt. Das Stück verwendet die »Sprache des Lebens«, den Dialekt und andere Sprachvarietäten des Alltags (Sozio- und Psycholekt), in denen sich die Milieugebundenheit des

---

54 Julius Hillebrand, »Naturalismus schlechtweg!«, in: *Die Gesellschaft* 2 (1886) H. 4, S. 232–237, hier S. 236.

Sprechers ausdrückt. In seiner Autobiographie schrieb Hauptmann:

> Ich konnte [...] das Bauerndrama [d. i. *Vor Sonnenaufgang*] schreiben, denn [...] ich beherrschte den Volksdialekt. Ich würde ihn also, war mein Beschluß, in die Literatur einführen. Dabei dachte ich nicht an sogenannte Heimatkunst oder Dichtung, die den Dialekt als Kuriosum benützt und meistens von oben herab humoristisch auswertet, sondern dieser Volkston war mir die natur- und kunstgegebene, dem Hochdeutsch ebenbürtige Ausdrucksform, durch die das große Drama, die Tragödie ebenso wie durch Verse Goethes oder Schillers Gestalt gewinnen konnte. Ich wollte dem Dialekt seine Würde zurückgeben.[55]

Herr und Frau Krause, das Hausmädchen Miele, der Arbeiter Beibst und die Mägde sprechen Schlesisch, Loth, Hoffmann und Dr. Schimmelpfennig Hochdeutsch, Eduard berlinert. In das Hochdeutsch von Frau Spiller mischt sich die Berliner Mundart, in das von Helene schlesischer Dialekt. Neben der sprachlichen Differenzierung berücksichtigt Hauptmann »die physiologische und pathologische Seite des Charakters« in Form von körperlicher oder geistiger Versehrtheit (Beibst, Baer), von Triebhaftigkeit und Trunksucht, und er bringt die »großen« Zeitfragen zur Sprache (s. o. S. 189). Der ›vierte Stand‹ aber, der nach Hillebrand eine unverzichtbare Bedingung für das soziale Drama ist, tritt in *Vor Sonnenaufgang* entweder nur am Rand

55 *Das Abenteuer meiner Jugend*, CA VII, 1079.

in der Gestalt des Arbeiters Beibst auf, oder er wird indirekt Gegenstand des Dialogs, z. B. dann, wenn Helene von den »schrecklich finster[en]« Blicken der Bergarbeiter (29,18) berichtet und das Schicksal des alten Arbeiters und seiner Söhne enthüllt. Das Proletariat wird zwar zum Thema gemacht, aber es tritt nicht als soziales Agens auf. So hatte bereits der mit dem Dichter befreundete Volkswirtschaftler Otto Pringsheim mit Recht moniert, dass die »eigentliche soziale Frage« »am Horizont des Sonnenaufgangs nur wetterleuchtet«.[56] Obwohl Erscheinen und Verschwinden Loths sozial motiviert sind – der Volkswirtschaftler ist in das Kohlerevier gekommen, um das soziale Milieu der Bergabeiter zu studieren, er verlässt es, weil er befürchtet, dass eine Verbindung mit Helene dazu führt, dass seine Nachkommen erbgeschädigt sind –, entwickelt sich die dramatische Katastrophe nicht aus der sozialen Lage der Bergarbeiter oder dem Klassengegensatz von Lohnarbeit und Kapital, sondern aus einer Liebesgeschichte. Loths Abtritt verändert zwar die Situation in der Familie, für die sozialen Verhältnisse bleibt er aber letztlich folgenlos.

Peter Sprengel hat im Anschluss an Walter Requardt und Martin Machatzke die Zurückdrängung der »eigentlichen sozialen Frage« aus dem »Zwang der gewählten Form« erklärt: Mit der Übernahme des »Ibsenschen Familiendramas war das Feld der darstellbaren Probleme präjudiziert: der Verfall der Familie mußte für den der Gesamtgesellschaft stehen«.[57] Die dramatische Zuspitzung ergibt sich

56 Brief vom 15. September 1889 (zit. in: Hauptmann, *Notiz-Kalender*, S. 175).
57 Sprengel (1984), S. 70; vgl. Requardt/Machatzke, S. 156.

aus einem privaten Konflikt, nicht aus der öffentlichen Auseinandersetzung zwischen antagonistischen gesellschaftlichen Kräften. Hauptmann schloss damit einerseits an die Tradition des bürgerlichen Trauerspiels an, etwa an Gotthold Ephraim Lessing (1729–1781; *Emilia Galotti*, 1772), Jacob Michael Reinhold Lenz (1751–1792; *Der Hofmeister*, 1774) und Friedrich Schiller (1759–1805; *Kabale und Liebe*, 1784). Andererseits ging er insofern über diese Tradition hinaus, als er, wie Ibsen, externe Faktoren einbezog, die epische Darstellungsmittel erforderlich machten. Ist es bei dem Norweger die »erinnerte und im Innern weiterwirkende« Vergangenheit, die die Figuren zu überwältigen droht, so sind es bei Hauptmann »die politisch ökonomischen Verhältnisse«, die ihr Handeln festlegen.[58] Die Fremdbestimmtheit des Individuums wird herausgestellt. Für die an klassizistischen Normen orientierten Rezeptionserwartungen des zeitgenössischen Publikums waren die damit verbundenen dramaturgischen Neuerungen zweifellos eine deutliche Herausforderung.

Auf den ersten Blick scheint die äußere Form von *Vor Sonnenaufgang* allerdings eher konventionell zu sein. Mit seinem fünfaktigen (szenenlosen) Aufbau, dem an der »Einheit des Ortes« und der »Einheit der Zeit« orientierten, raumzeitlich eng begrenzten Geschehen – der Schauplatz ist durchgehend das Bauerngut der Familie Krause in Witzdorf, der lediglich zwischen Wohnraum und Hof wechselt, die Handlungszeit umfasst knapp 36 Stunden, vom frühen Abend bis zum übernächsten Tag »gegen 2 Uhr Nachts« (111,2) – und einer Liebestragödie, deren Handlungskurve

58 Szondi, S. 74 f.

an Gustav Freytags Dramentheorie angelehnt ist,[59] entspricht das Stück den poetologischen Vorgaben des Klassizismus.

Doch bereits die »Einheit der Handlung« wird schon nicht mehr streng befolgt: Obwohl das Geschehen mehrere Zielpunkte hat (die Geburt eines Kindes, Loths Projekt, die Liebeshandlung – alles endet im Scheitern), splittert es sich in einzelne, für die Haupthandlung entbehrliche Episoden auf. Beispielhaft stehen hierfür aus dem 4. Akt der Auftritt des »verwahrlosten Bauernburschen« (95,14), der »sein Sandgeschäft« abwickelt (96,31), oder der Auftritt der armen »Kutschenfrau« (97,28), der die Mägde beim Stehlen der Milch für ihre acht Kinder helfen.[60] Szenen wie diese, die die Spannung auf den Ausgang unterbrechen, verleihen dem Stück eine episodische Reihenstruktur und erweitern die Darstellung um Züge der Milieuschilderung.

Der Episierung dienen auch die umfangreichen Nebentexte, die über bloße Regieanweisungen für das Bühnenbild und das Spiel der Schauspieler weit hinausgehen. In diesen Prosaskizzen artikuliert sich ein allwissender Erzähler, der dem Leser die psychischen, sozialen und ökonomischen Voraussetzungen des Geschehens vorstellt. So wird z. B. die Wohnungseinrichtung der Familie Krause am Beginn des 1. Akts mit den Worten kommentiert: »Moderner Luxus auf bäuerische Dürftigkeit gepfropft« (11,3 f.). Der Leser wird auf diese Weise auf die Veränderungen vor Ort eingestimmt, wie sie sich dann im Stück z. B. im elektrischen Licht und im Telephon zeigen.

59 Vgl. Kafitz, S. 246.
60 Vgl. Martin (2013), S. 49–53, 62 f.; Scherer, S. 127 f.

Das Emmerich-Gut in Weißstein, das Hauptmann als Vorbild
für das Bauerngut der Krauses diente (Photographie um 1932). –
© ullstein bild – Süddeutsche Zeitung Photo / Scherl.

Der Nebentext erwähnt auch Details, die auf der Bühne
kaum darstellbar sind. Am Beginn des 2. Akts heißt es über
Bauer Krause, dass er »wie immer als letzter Gast das
Wirthshaus verlassen hat« (48,11 f.). Und Beibst wird dadurch charakterisiert, dass er seine Pfeife »fast nie« aus dem
Mund nimmt (50,9). Der Leser erfährt auf diese Weise jedoch, dass sich das auf der Bühne dargestellte Geschehen
gewohnheitsmäßig wiederholt. Auch der ausgedehnte Nebentext am Schluss des Dramas (darauf ist zurückzukom-
men) weist typische Elemente naturalistischer Dramaturgie auf.

Im Widerstreit der Forschung: die Figur Loth und Helenes Ende

Eine weitere dramaturgische Neuerung, mit der Hauptmann sich vom traditionellen Drama absetzt, zeigt sich in der Figur Loths. Peter Szondi hat in ihr eine »Maske« gesehen, in der »das epische Ich« auftritt. Loths Besuch bei der Familie Krause gestalte »im Thematischen das formbegründende Herantreten des Epikers an seinen Gegenstand«.[61] Loth ist der »Bote aus der Fremde«, der bereits in Stücken Ibsens auftritt und schließlich ein »formbedingender Kompositionsfaktor des deutschen Naturalismus« wird (Erich Herbert Bleich). Die dramatische Handlung wird umrahmt durch seine Ankunft und Abreise. Loth tritt von außen als Gast in das Geschehen ein und trägt dazu bei, dass der Zuschauer über die Verhältnisse in der Familie Krause aufgeklärt wird, d. h. über die Skrupellosigkeit, mit der Hoffmann seinen Reichtum erworben hat, die moralische Verkommenheit der Frau Krause und die alkoholbedingte Degeneration des Bauern und seiner Nachfahren. Doch Witzdorf ist für Loth nicht nur Studienobjekt, sondern auch Handlungsraum und die Figur nicht nur passiver Beobachter, sondern auch Mithandelnder, der die Ereignisse, zu deren Erforschung er in die Gegend gekommen ist, nachhaltig beeinflusst.

Seit Beginn der Rezeption ist Loth die umstrittenste Figur des Stücks, und bis heute wird sie von der Literaturwissenschaft kontrovers diskutiert.[62] Die Beurteilung der Fi-

---

61 Szondi, S. 66.
62 Vgl. Sigfrid Hoefert, *Gerhart Hauptmann*, Stuttgart 1974, S. 15;

gur wird zum einen dadurch erschwert, dass sie Vorbilder in Hauptmanns Freundes- bzw. Bekanntenkreis hat, zum anderen aber auch dadurch, dass sie Überzeugungen artikuliert, die Hauptmann, wenn auch nur zeitweilig, selbst geteilt hat. Beides spricht dagegen, dass Hauptmann über Loth den Stab brechen wollte. Der Dichter sah sich daher unmittelbar nach der Uraufführung zu einer Erwiderung auf die Kritik an Loth herausgefordert, die zu seinen Lebzeiten allerdings unveröffentlicht blieb.[63] Seine »Apologie für Alfred Loth«[64] ist nicht nur deshalb interessant, weil Hauptmann sich hier ausdrücklich dagegen verwahrt, mit Loth (bzw. seinen Thesen) identifiziert zu werden, sondern auch deshalb, weil er auf die naturalistische Schauspielkunst eingeht und diese mit einem Bekenntnis zur Autonomie des Kunstwerks verbindet, das den Dichter davon befreien sollte, für die Überzeugungen und Verhaltensweisen der Figur zur Rechenschaft gezogen zu werden. Auch das erschwert die Beurteilung Loths. Für Hauptmann war die Bühne »kein Katheder«,[65] von dem aus er das Publikum von seinen Ansichten überzeugen wollte. Darin widerspricht er den wirkungsästhetischen Vorstellungen seiner Figur Loth, der von der Kunst Vorbilder verlangt und für den die naturalistische Literatur nichts anderes als heilende Medizin ist. Dass die Aufführung von den Zuschauern gleichwohl als lehrhaftes Theater und das Drama als zeitkritisches Tendenzstück aufgefasst werden konnte, lag

Cowen (1980), S. 43 f.; Bellmann, S. 11 f., 33–43; Baseler, S. 286–298; Zimmermann.

63 Vgl. [›Vor Sonnenaufgang‹], CA XI, 753–756.

64 Ebd., S. 754.

65 Ebd.

an der Spielweise des Loth-Darstellers. Dieser hatte z. T. zum Publikum statt ausschließlich zu den Bühnenfiguren gesprochen, was durch den agitatorischen Charakter seiner Rede begünstigt wurde. Das vorwiegend bürgerliche Publikum fühlte sich provoziert und reagierte mit Spott. Hauptmann vertrat demgegenüber die Auffassung, dass der Schauspieler so zu spielen habe, »als ob die Bühne nicht drei, sondern vier Wände hätte«,[66] d. h. als ob das Publikum gar nicht vorhanden wäre, wie es bereits der französische Philosoph und Schriftsteller Denis Diderot (1713–1784) im 18. Jahrhundert gefordert hatte und wie es dann in der naturalistischen Schauspielkunst verbindlich werden sollte.[67] Durch das Prinzip der vierten Wand wird beim Publikum die Illusion befördert, einem Geschehen beizuwohnen, das so auch in der Realität stattfinden könnte. Der artifizielle Charakter der Aufführung wird verschleiert, der Zuschauer auf die Rolle des Beobachters festgelegt, der, da von der Bühne keine Kommentierungsfunktion ausgeht, auf die eigene Urteilsbildung angewiesen ist.

Über Loth lässt sich allerdings nicht angemessen urteilen, ohne den Schluss des Dramas zu berücksichtigen, der von vielen Interpreten als unbefriedigend oder sogar provokant empfunden wurde. Szondi hat (wie oben bereits angedeutet) auf die strukturelle Funktion der Hauptfigur hingewiesen: »Was am Schluß die Züge Loths verzerrt, liegt in der Konsequenz nicht seines thematischen Charakters, sondern seiner formalen Funktion.« Die »Form eines Dramas, das durch den Besuch eines Fremden ermöglicht«

66 Ebd.
67 Vgl. Osborne, S. 86 f.

wird, verlange, »daß dieser zum Schluß von der Bühne wieder abtrete«.[68] Mit Recht hat man bezweifelt, dass dieser Erklärungsansatz literaturgeschichtlich stichhaltig ist: Gegenbeispiele finden sich bei Ibsen, aber auch bei Hauptmann selbst.[69]

Dieter Martin hat eine poetologische Deutung vorgeschlagen, die diesem Einwand entgeht und die darüber hinaus auch eine Erklärung für Helenes Ende bietet: Er beruft sich dabei auf Wilhelm Bölsches, von Zola inspirierten Vergleich der Dichtung mit einem »psychologischen Experiment«.[70] Die Figur Loth diene dem »dramatische[n] Experimentator Hauptmann« als »Katalysator, um vor den Augen des Zuschauers eine folgerichtige Kettenreaktion ablaufen zu lassen, die in Helenes Selbstmord ihren vorläufigen Endpunkt findet«.[71] Loth trete in dem Moment ab, wenn das Experiment beendet und das gewünschte Resultat erzielt ist. Helenes Tod könne mit Bölsche als das determinierte »Ergebniss [...] einer äussern Veranlassung und einer innern Disposition«[72] gedeutet werden: Erbliche Belastung, erziehungsbedingte Schwächung und persönliches Unglück verhinderten in der Summe, dass Helene im ›Kampf ums Dasein‹ überlebt. Ihr Suizid sei daher kein »*Frei*tod«, wie Peter Sprengel behauptet hat, der die junge

68 Szondi, S. 68.

69 Vgl. Osborne, S. 83, und Hoefert, S. 15 (s. Anm. 62).

70 Wilhelm Bölsche, *Die naturwissenschaftlichen Grundlagen der Poesie. Prolegomena einer realistischen Ästhetik* [1887], neu hrsg. von Johannes J. Braakenburg, Tübingen 1976, S. 25. Mit Bölsche verband Hauptmann eine lebenslange Freundschaft.

71 Martin (2013), S. 92.

72 Bölsche, S. 25 (zit. in: Martin, 2013, S. 93).

Frau »von den erniedrigenden Zwängen ihrer Umgebung freimacht« und in dem die »Autonomie des Subjekts [...] über den Zwang der Verhältnisse« siegt.[73] Im Gegenteil: Helenes Tod bestätigt die Macht des Milieus, anstatt sie zu brechen.[74] Die sozialen Verhältnisse, zu deren Analyse und Veränderung Loth aufgebrochen war, bleiben über Helenes Tod hinaus unverändert.

Allein vom Ende des Dramas her ist Helenes Handlung allerdings kaum hinreichend zu begreifen. Erst dann, wenn man die Tatsache in die Überlegungen miteinbezieht, dass zwischen Helene und Loth auch eine Entscheidungssituation besteht,[75] kann man das paradoxe Verhältnis von Determinismus und Autonomie, Kausalität und Intentionalität in *Vor Sonnenaufgang* ganz erfassen. Diese Entscheidungssituation ist ein wichtiges Glied in der Kette jener Ereignisse, die erklären, warum die Umstände am Schluss des Dramas die Oberhand über die junge Frau gewinnen.

Die Frage nach der Selbständigkeit des Handelns wird in Hauptmans Drama verschiedentlich aufgeworfen. Helene, das Desaster ihrer Familie vor Augen, beruft sich im 3. Akt gegenüber Hoffmann auf die Willensfreiheit, die ihr eine Handlungsalternative erlaubt (70,29–71,3):

Nein –! ich sehe nicht ein, wer mich zwingen kann, durchaus schlecht zu werden. Ich gehe fort! ich renne fort – und wenn Ihr mich nicht loslaßt, dann .... Strick,

73 Sprengel (1984), S. 74. Vgl. Martin (2013), S. 92, 108.
74 Vgl. Baseler, S. 315 f. Kritisch zu Sprengel vgl. auch Bellmann, S. 33.
75 Vgl. Mittler, S. 210–238.

Messer, Revolver! .... mir egal! – ich will nicht auch zum Branntwein greifen wie meine Schwester.

Im Weiteren wird sie sich dann für den zweiten Teil der Alternative entscheiden und sich umbringen. Den ersten Teil der Alternative – fortzugehen und, wie Ibsens Nora, ihre Familie zu verlassen – wird sie nicht ausführen. Dabei hätte sie gute Voraussetzungen dafür gehabt, sich eine neue Existenz aufzubauen: Sie ist gebildet und hat »Anderes kennen gelernt« (71,30). Sie hat Vergleichsmöglichkeiten und leidet unter den Witzdorfer Verhältnissen, vor allem aber ist sie wirtschaftlich unabhängig, verfügt sie doch über ein »mütterliches Erbtheil« (103,10 f.), das so großzügig bemessen ist, dass sie von diesem eine eigene Familie ernähren könnte. Das erlaubt es ihr, selbstbewusst auszurufen: »Ich mache, was ich will« (103,9 f.). Doch erst unter dem Einfluss Loths wandelt sich ihr stilles Leiden in energischen Protest gegen die Zumutungen ihrer Umwelt. Sie gewinnt Selbstbewusstsein und wird mutig. Entschlossen lehnt sie sich gegen die Entlassung der Magd auf, wehrt den Verführungsversuch ihres Schwagers ab und erklärt, indem sie gegen jede Konvention der Zeit verstößt, Loth ihre Liebe.

Äußerst folgenreich für die weitere Entwicklung der Handlung ist es, dass Helene die Hoffnung auf eine Veränderung ihrer privaten Situation ganz auf Loth setzt. »Oh! nicht fort, geh' nicht fort!«, ruft sie gleich am Ende des 1. Akts flehentlich dem von dem Schauplatz abgetretenen Mann hinterher (46,28 f.). Und nachdem sie sich im 4. Akt mit ihm verlobt hat, sagt sie entschlossen: »Am liebsten ginge ich gleich auf der Stelle mit Dir« (106,13 f.). Loth erscheint ihr als Retter, der sie aus dem »Sumpf« (71,31) zu befreien und in eine gemeinsame, glückliche Zukunft zu führen verspricht. Und etwas später, als sie ahnt, dass dieser sie verstoßen wird, wenn er erfährt, was sie ihm ängstlich verschweigt, dass nämlich ihr Vater ein Säufer ist, warnt sie den Geliebten: »Du schreitest nich über mich weg? thu' es nicht!! – Ich weiß nicht – was – dann noch aus – mir werden sollte« (107,26–28). Ihr letzter zu Loth gesprochener Satz, kurz bevor dieser dann von Dr. Schimmelpfennig darüber aufgeklärt wird, dass Helene einer Trinkerfamilie entstammt und daher, wie er Loth glauben macht,[76] erblich belastet ist, gipfelt in einer Beschwörung: »Alles ist aus, Alles, wenn Du einmal ohne mich von hier fortgehst« (121,25 f.). Es kann daher nicht verwundern, dass sie sich aus Verzweiflung umbringt, nachdem Loth sie fluchtartig und ohne eine Aussprache mit ihr gesucht zu haben verlassen hat.

Doch Helene ist nicht das bloße »Opfer« eines ebenso charakterschwachen wie menschenverachtenden Ideologen,[77] als das sie häufig gesehen wurde. Gegen diese These spricht, dass sie für den Ausgang der Handlung mitverantwortlich ist. Sie hat sich dafür entschieden, die Veränderung ihrer Lebensverhältnisse von der Entscheidung Loths abhängig zu machen. Mit dieser Entscheidung bestätigt und begrenzt sie ihre Freiheit. Von daher gesehen ist ihr Entschluss, sich das Leben zu nehmen, konsequent: Sie scheitert letztlich an sich selbst. Dass Loth sie verlässt, wird

---

76 Zimmermann macht plausibel, dass der alte Krause erst nach der Geburt Helenes dem Alkohol verfällt, die Gesundheit seiner Töchter also von daher gar nicht erbgeschädigt sein kann – ein Sachverhalt, den Loth übersieht und Helene ebenso wenig durchschaut (vgl. S. 504–507).

77 Bellmann, S. 32; Zimmermann, S. 508.

für sie deshalb zur Katastrophe, weil *sie sich auf ihn* verlässt. Dabei hätte sie wissen können, dass Loth seinem eugenischen Prinzip treu bleiben werde, hatte er doch vor der zum Abendessen versammelten Familie verkündet, dass er »absolut fest entschlossen [sei,] die Erbschaft, die ich gemacht habe, ganz ungeschmälert auf meine Nachkommen zu bringen« (41,25–28). Später warnt er Helene sogar: »wer mich zum Verräther meiner selbst machen wollte, über den müßte ich hinweggehen« (108,7 f.). Werner Bellmann hat den Umstand, dass Helene unfähig ist, »ihre Konflikte selbständig zu lösen«, und »überdies zur Weltflucht« neigt, aus den »Prägungen (auch internalisierte[n] Geschlechtsrollen-Klischees)« erklärt, die »aus den außerfamiliaren Erziehungseinflüssen« resultieren, denen sie in der pietistischen Umgebung von Herrnhut ausgesetzt war.[78] Es sind die gleichen »Prägungen«, die sie auch für die sozialpolitisch begründeten Ansprüche blind machen, die Loth an seine künftige Ehefrau stellt. Doch von der Verantwortung für ihr Verhalten können diese Gründe Helene nicht freisprechen. Helene handelt zwar unter Bedingungen, für die sie genauso wenig etwas kann wie für deren potentiell lebensbedrohliche genetische Folgen. Das schränkt ihren Handlungsspielraum ein. Mit ihrer Entscheidung, in Witzdorf zu bleiben, aber räumt sie den familiaren Verhältnissen selbst Macht über sich ein.

Wie diese sich durchsetzt, zeigt Hauptmann am Schluss des Dramas in der Kombination dramatischer und epischer Darstellungsmittel. Narrative Passagen überlagern die direkte Rede, nichtverbale Ausdrucksmittel wie Mimik, Ges-

78 Bellmann, S. 31. Vgl. ebd., S. 24–26.